붙잡고 싶은 기억 하나

붙잡고 싶은 기억 하나

이창민

지산

오유현

김태성

최은진

이소미

김은아

김어항

어제와 오늘의 '나'는 이어졌지만, 같지만은 않을 겁니다. 분명 날마다 무언가를 채우고 흘렸을 테니까요. 그렇기에 나아가는 거라지만, 간직하고 싶은 기억들이 있습니다.

지난 6주간은 짧지만, 각자가 살거나 견디어 온 시간 위에서 남기고픈 것들을 담았습니다. 그렇기에 언제든 찾아보고 싶은 사진이 됐을 것이라 믿습니다.

가지각색의 원고 속엔
'떠난 이를 그리던, '그라나다'에서의 감회, 상처와 다짐, 누군가를 위한 응원, 타지에서의 고독과 연이은 불운과 불안, 우주에 대한 찬사까지 담겨 있습니다.

어찌 보면 비루하고도 평범한 일상입니다. 비루하고도 왜소한 그림자입니다.

그럼에도. 제법 단단해진 나무가 되어.
잊지 않고. 커진 그늘로 오늘을 위로할 것이라고 확신합니다.

- 공동저자 中 이창민

차 례

양수 속 평온

이창민

이창민 서울에서 태어났다.

1.

  '알츠하이머' 진단을 받은 것도 어느새 30년이 지났다. 망각에 포위되면서도 깨달은 것이 있다면 나의 판단과 행동에 기억이란 그다지 쓰이지 않는다는 점이다. 언제부턴가 기억이란 그저 사두곤 잊어버린 버터 정도이지 않을까. 없어도 그만. 특별할 게 없이 살면 되는 정도로 치부했다. 그렇게 사는 것이 정신에 이롭다는 것을 터득한 것이다. 무언갈 놓친들 애써 잊는다면 신경 쓸 이유가 없었다. 새어 나갔다면 버렸다고 자위하면 되는 일이다. 커진 얼룩을 지우고 닦아내도 덜어낼 수 없다면 얼룩말 뒤로 숨으면 되지 않은가. 태도를 바꾸자, 쪼아댔던 색안경이 벗겨지고, 축복일지 모를 여생을 어찌 버틸 수 있었다.

  일상의 많은 부분이 고꾸라지면서도 한 가지 열중한 것이 있다면 바로 맥주였다. 옹색한 변명으로 들리지만. 아폴리네르[1] '알코올' 시집이나 보던 나의 변화엔 한 가지 이유가 있었다. 이건 정말이지 모두를 평등하게 만든다는 점이다. 한 번은 싸구려 술집에 방문한 적 있었

---

[1] 아폴리네르 (1880~1918), 프랑스 시인이자 소설가로 대표 작품으로 '알코올', '동물시집'이 있다.

다. '조'라는 사회주의-노동자당 당원이 운영하는 허름한 테이블 세 개 정도가 전부인 가게였다. 들어서 앉은 자리로 너저분한 식기까지 격식 차리던 몰락한 노파가 보였고, 그 옆으로 2피트 사이에 주인 '조'가 있었다. 섞이지 않을 것만 같던 그 둘은 이내 물감처럼 뒤엉켰다. "러시아 놈들은 보드카를 마셨기에 혁명했지. 더 필요한 게 없거든." 농담을 던진 '조'가 자축하며 홀짝인다. 그러자 콧대 높던 여인네가 동의의 건배를 들며 키스를 박는다. 이전에 나라면 찾지 않을 천박한 곳이지만 끌렸다.

들린 그의 가게에서 농담 따먹기는 하나의 규칙이다. 적당한 위트면 충분했고 제법 자신 있었다. 농담만으로 취할 때가 있는데 이건 말로써 표현하기 힘들지만, 겪어본 자 있을 것이다. 농담 두 개에 맥주 한 잔이면 고주망태까지 충분했다. 일을 그만두고 넉넉잖은 사정에 취할 수 있는 건 그의 가게뿐이다. 고로 관성처럼 찾아 언제나 버드와이저 두 잔. 보조금을 타는 날이면 세잔을 시켜두곤 올이 나간 셔츠에 풀린 넥타이 차림을 했다. 매번 석 잔을 시킬 때면 지폐 한 장을 올려뒀다. 두 잔의 버드와이저엔 동전 한 닢과 늘상 하던 농담을 돌려가며 때웠다. 그들 사이서 '파블로프'라는 악명을 얻게 된 것도 우연이 아닐지 모르겠다. 다행히 가게를 찾은 이는 반복할 수밖에 없는 치매 환자의 병세를 눈치채기보단 하나의 썩은 농담으로 받아들였다.

호주머니가 제법 두둑한 날이면 찌푸러진 셔츠를 바지에 집어넣고

'조의 가게'에 들어섰다. 어리숙한 웨이터의 "또 왔네."란 질문에 그저 끄덕이며 "그걸로 부탁할게."라며 눈치껏 답했다. 자세히 보니 어디 한 대 얻어맞은 듯한 삐뚤어진 코의 웨이터였다. 삐뚤-코는 '카이산-로드'풍이라며 얼음 한가득 채운 라거를 건넸다. 다섯 모금을 홀짝이고 나서야 그 코가 내 친구 '조'임을 깨달았다. 아차 싶었지만. 무슨 소용인가. 나도 조도 행인도 이상함을 느끼지 못했다. 그저 '저 노인네 또 거하게 한잔했겠거니' 싶을 것이다.

때때로 취하지 않아도 괘념할 필욘 없었다. 원체 상대에 맞춰 임기응변으로 산다고 생각했는데, 아무리 생각해도 지독하게 정확한 자기-객관화였다. 내게 인사 건네는 자들. 지인. 그저 스쳐 지나가는 이들 모두 내가 기억의 증발을 겪고 있다는 걸 모를 것이다. 어쩌다 아는 체하는 자를 보면 정적 속에 '저런 멍청한 옷을 입은 사내가 누구지?', '뭐? 내가 줄 게 있다고?' 같은 고민보단 그러려니 건네주고 '그래 안 본 사이 보기 좋아졌네' 따위의 겉치레로 넘기면 될 일이다. 어디 나사 빠진 건 맞지만 개미 떼 사이에 다섯 다리를 가진 개미 정도로 보진 않을까?. 흑점 없는 태양을 이상하게 쳐다볼 사람은 그리 많지 않다. 농부는 밭을 보고 '조'는 컵의 지문을 지우는데 열중할 것이다.

"기억이라는 치즈가 굶주린 쥐에게 갉아 먹히는 것과 같을 거라네." 땅딸보 의사가 말했다. 뭐. 그다지 체감되진 않았다. 쥐 죽은 듯 조용하다 내가 잠드는 순간, 슬며시 나와 얼굴만 한 크기의 이빨로 덥

어리를 갉는다. 얕은 잠에 깨 거울을 보면 거대한 치골에 먹던 피스(piece)를 대롱거리며 부리나케 도망쳤다. 그렇다고 겁에 질려 호들갑을 떨 필요 없었다. 아니 상관없다. 내 치즈는 무척이나 거대해서 티가 안 날 것이다. 더군다나 가장자리는 사막처럼 쓸만한 게 없는 구멍 난 물건이다. 인간도, 열의도 이미 뚫린 구멍 속으로 빠져나간 지 오래다. 그랬기에 하데스에서도 망각을 이겨낸 신화 속 테이레시아스[2]를 이해할 수 있었다.

센 척하는 걸지 모르지만, 사실 녹아내릴 기억조차 이젠 없었다. 내 기억의 빙하는 이미 바다가 된 지 오래다. 기호와 책, 단어, TV 프로그램, 케네디 스코어의 야구 경기를 무시하기에 익숙했다. 그러자 무지해졌다. 떠들어대는 소리가 무슨 소릴까. 병이 오기 전부터 이해력을 잃어버린 내게 의사의 협박은 시체를 향해 곧 죽을 것이라 떠들어대는 꼴이었다.

히피, 대처의 신보수주의, 콘클라베, 닉슨독트린, 레이거노믹스, 프라하의 봄, 68세대, 후야오방의 죽음, 소련의 붕괴... 앵커가 사정없이 던지는 다트가 물렁한 치즈를 향했지만, 미끌한 표피에 박히지 못한 채 떨어진다. 내 물렁한 덩이에 붙을 수 있는 건 침대 끝 삐걱거림을 참고 올라온 다섯 다리의 무심한 개미. 그뿐이다.

---

2   테이레시아스: 그리스 신화 속 인물로, 죽음 세계인 '하데스'서 기억을 잃지 않은 인간

내가 귀 기울이고 눈여겨보고 애쓰는 유일한 것은 버드와이저 한 모금이다. 정부에서 나온 보조금은 그런 의미에서 메마른 의식과 비루한 생에 희열을 가져다준다. 코트 안주머니에 넣고 마시러 가는 길이면 치즈 구멍에서 부스러기 가루 같은 기억을 꺼내 태연한 척 나서고자 했다. 직장인은 아니지만 퇴근길 샐러리맨을 가림막 삼아 체크무늬 셔츠에 매여져 있는 넥타이를 목에 감싼다. 목록 주점의 바텐더가 "오늘도 수고 많았네." 그저 하릴없는 인사를 건넨다. '조'라는 명찰을 단 코가 이상한 노인이었다. "체커나 한 판 할래?" 겉치레로 묻는다. "사양하겠네. 피곤한 하루였거든"

여름 태양이 아시아풍 맥주와 썩 어울렸다. 맥주잔 이슬처럼 땀이 흐르고 있었다. 유행 지난 축음기에서 흘러나온 Bobby caldwell의 목소리가 처음엔 그가 흑인인 줄로만 알았다. "그가 백인이란 사실 알고 있나." 이상한 코의 사내에게 유쾌한 척 말을 건넸다. "또 그 이야기라면 사양하지. 파블로프. 그건 그렇고..." 이들 사이 난 융화되고 있었다. '꽤나 괜찮은 가면이었어.' 스스로 자만했다.

쥐의 이빨보다 커진 어깨를 뒤로 곳곳에 쥐덫을 설치한 방으로 돌아왔다. 취기에 젖어 고꾸라졌다. 꿈에서 의사가 말했다. "그 알량한 치즈가 더 작아질 겁니다." 상관없었다. '어차피 치즈 없이도 살 놈인데.' 러시아 놈들처럼 말했다.

2.

사실 사람은 머릿속 쥐 한 마리를 가지고 태어난다. 내겐 좀 더 아니 많이 거대한 이빨을 가진 쥐였을 뿐이다. 내 고린내 나는 뇌는 성장과 성취 그 어디에도 사용되지 않아 영양가로 가득했다. 고농축을 먹고 자랐으니 거대한 이빨로 만들어버린 건 나 자신이라는 점에 통감했다. 이미 그전부터 내 치즈가 조금씩 베여 먹히고 있다는 걸 안다. 의사가 말하기 전부터 내 어머니와의 기억, 날 두들겨 팼던 여드름 많던 소년의 이름까지 까먹었으니 말이다.

채워진 게 없는 대지는 침식되는 데만 억겁의 세월이 필요할지 모른다. 그래도 잊지 않고 싶은 기억이 있었는데. 지금에 와선 그게 뭐였는지 기억나지 않는다. 깜짝 상자처럼 때때로 떠오르기도 하지만 보조금이 두 배로 오르는 동안 더는 그러지 않았다. 놓친 것이다. 괜찮다. 언제나 그랬듯 태연하게 아무 일 없듯 행동하면 내게 해를 끼칠 수 있는 건 바닥난 버드와이저뿐이다.

채워 넣은 게 없는 사막이 잠기고 누군가 들려줬던 신화, 유년 겨울에 보았던 항구에서 피어오르는 연기, 딱 한 번이 본 적 있던 이누이트의 얼굴까지 전부 내 기억의 히말라야에 고이 두었으니. 가장자리가 녹아내린 들 내게 달라질 건 없었다.

기억이 달리[3]의 '기억의 영속'과 같다. 녹아내린 치즈들. 가장 내밀하게 박혀있던 기억마저 녹아내릴 채비를 마치고 있었다. 시계 위로 기어가는 다섯 다리의 개미. 생생한 다리를 뚫어져라 쳐다보자 더듬이 하나가 마저 잘렸다. 갑자기 멀미가 나는 듯해 싫었다. 볼을 따라 흐르는 땀이 새고 있는 뇌수거나 녹은 뇌라 여겼다. 태어남에 진통이 있듯 죽음도 전조 현상이 있다고 생각했다. 이젠 정말 머지않았다. 기억나는 것이 단 하나도 없었다. 분명 무언가 하나는 꼭 기억하고 싶었는데 그 기억이 뭐였는지도 잊었다. 그건 역설적으로 평온함을 줬다.

썩어가던 내 몸뚱어리는 여전히 생을 향해 투쟁하고 있었다. 나로 금 식도로 음식을 들이부으라 닦달했다. 성화에 못 이겨 곰팡내 나는 프레첼과 식어버린 맥주를 들었다. 한 캔이면 족할 것들이 자꾸만 처먹게 된다. 집의 평안함은 긴장의 경계를 허물었다. 가면을 쓸 필요도 '조'의 농담을 살피지 않아도 됐다. 두 캔을 마시자 곤히 떨어진다. 의식과 함께 모래시계 알갱이가 중력에 떨어지는 것을 보는 것으로 끝내 곯아떨어졌다.

일어선 방 안이 냉골처럼 차가웠다. 카이산-로드 잔에 얼음이 거진 녹았지만, 알갱이 몇 개가 떠올랐다. 지근거림에 뭐라도 마시고 싶어 비릿한 내음을 맡은 채 삼켰다. 입술이 닿은 부분에서 어제 먹은 체

---

3   살바도르 달리 (1904~1989) 초현실주의 화가로 대표작으로 '기억의 지속'이 있다.

다-치즈 맛이 났다. 일어서야 했다. 보조금을 타 먹기 위해선 가면을 쓴 채 옷 안쪽이 다 헌 코트를 입어야 했다. 일어선 순간 양말이 젖었다. 어제 쏟은 맥주였다. 아니 내 뇌수, 터진 양수일지 모르겠다. 뭐 그게 무슨 소용인가. 생의 끝인 것은 맞지만 발버둥을 쳐야 했고 보조금을 타야 했고 침대 아래 흐른 물줄기를 닦고 싶었다. 그러지 않는다면 다섯 다리의 개미들이 내 수면을 앗아갈 것이다.

침대를 치우자 한 사진이 물에 불어 찢어졌다. 으깨진 감자 꼴이다. 아니 토해버린 맥주와 정어리 조각이 한 여인의 사진과 한데 뒤죽박죽 엉켰다. 어머니였다.

양수 속 평온을 준 여자. 속삭였던 신화와 동화들. 목소리, 냄새가 일제히 살아났다. 하지만 얼굴이 떠오르지 않았다. 코와 목과 그녀의 유방까지 돌아오지 않았다. 지금 어디에 있는 거지? 파이를 먹고 싶었다. 보조금을 탄다면 버드와이저 두 캔을 들고 버무리고자 했다.

보조금으로 두둑해진 코트 차림에 파이와 '조'에게서 받은 맥주와 함께 찾았다. 그곳이라면 작은 단서라도 떠오를 것이란 작은 믿음과 함께 말이다.

조화마저 시들고 관리 안 된 '더는 찾지 않는 자들의 묘지'는 합장해 만든 올리브 나무가 되어있었다. 그제야 말라붙어 미라가 된 마지막 남은 그녀의 사진을 짓밟은 것을 알았다.

으깨진 감자가 떠올랐다.

3.

일어나자 침상 아래가 강이 된 걸 쳐다봤다. 자는 사이 내 머릿속 쥐가 싼 오줌일까? 치즈의 녹는 속도가 페달을 밟는 것일까. 그건 그렇고 저 으깬 감자는 뭐지. 찢긴 사진으로 코팅된 메모가 있었다.

날 보던 어머니가 작은 골목의 등불에 대해서 말하고 있었다. "옆집 노인네가 어제 죽었더군. 뛰어가던 청년과 크게 부딪친 것 같던데. 얼마 못 가 덜컥 죽었다더군," "그건 그렇고 때가 어느 땐데, 등을 다는 집이 있나." 어머니께선 본인 자신도 소녀였던 시절 할머니께 들었던 이야기라고 했다.

내 치즈 조각 그녀가 떠오르자 '맞다 그녀는 없지.' 죽음이 떠올랐고 그녀가 해준 동화가 툭 떨어졌다. 전설의 동물이라는 '이카'에 대한 이야기다. 아침엔 물고기지만 밤엔 사람의 얼굴을 하는 조류가 된다는 가상의 동물 이카는 본인의 죽음을 안다고 했다.

"노쇠한 '이카'가 때를 알 듯. 심해까지 헤엄쳐 바닥에 닿으면 새가 되어 밤이 되어, 그 바닥을 걷다 심해에 누워 명상에 빠진다고 하더군. 그러곤 해가 비치면 부리는 사라지고 사람의 얼굴로 눈을 감는다고 하지."

이야기를 마친 어머니를 바라봤다. 주름 사이 고랑이 보였다. 심해에 이카처럼 눈을 감자 호기심이 피었다. '이카'들은 아직도 살아서 상상하는 게 아닐까? 새 머리를 한 '이카'는 평온했을까. 죽음일까. 태초의 양수 속 차가운 어둠일까. 눈을 감고 다시 뜨면 탄생의 윤회가 펼쳐질까. 궁금했다.

주무시고 계신 줄 알았던 어머니께서 난로에 기름을 넣고 계신다. "아직 안 자고 있었구나." 타오르는 석탄보다 온기 어리게 물었다. "그래서 '이카'는 어떻게 되는 거죠?" "글쎄 죽는다기보단 영원한 꿈을 꾼다고 하더구나. 방해되지 않으러 불어 터진 눈마저 뽑아버린 채 말이야 참 잔인하지." "너도 어서 자렴"

깊숙이 박힌 '나'의 조각이었다. 떠오른다. 내 전부이자. 양수 속 평온을 준 그녀. 세상 앞에 놓인 난 탯줄 없이 뽑혀버린 꽃이다. 이내 시들 것이다.

남겨둔 것이 없는 대지에 어머니는 하나이자 전부였다. 그녀가 내 치즈 같은 뇌에서 미끄러져 또 한 번 떠날까 봐 너무나 두려웠다. 기억의 공간이 대륙에서 군도로 줄어도 그녀만은 남겨야 해. 그럼에도 떠오르지 않았다. 어디에 버린 것이지. 어디가 그녀의 집이었지. 모두 수챗구멍으로 빨려 들어간 것일까. 찾을 수도 설령 찾은 들 오염되고 바랜 기억이다. 퉁퉁 불어버린 시체는 찾지 못하는 것이 낫지 않을까.

보조금 몇 푼으로 가져다 놓을 수 있는 것이 아니었다. 탯줄로 주입된 설탕과 과일, 마지못해 마신 담배 연기까지 그저 제공받던 시절에 금단을 느꼈다.

4.

'조'의 가게로 달려들었다. 30년간 잊고만 살던 내가 그전의 나를 마주하자 남아있는 머릿속 치즈가 오븐에 달궈져 터질 것만 같았다. 우선 진정시켜야 했다. 순서가 맞는지 모르겠지만 '조'의 맥주를 마셔야 한다는 강박이 있었다.

여전히 노파와 삐뚤-코뿐이다. 두 잔을 마시자 취기가 오르고 둘에게 반복된 농담을 건넸다. 언제나 그랬듯.

"오늘은 좀 달라. 파블로프" 걸걸한 목소리로 노파가 말을 건넸다. "그렇게 당장 네게 키스하고 싶을 정도로 미쳐버렸지." 제법 잘 받아쳤다. 흡족한 '조'가 그저 도수만 진탕 높였으면서 블렌딩이라고 우기는 'Revolution' 위스키를 건넸다. "그냥 마셔도 돼. 이 여자가 사는 거니까." 노파와 '조'가 혀를 섞으며 잔을 들었다.

맥주잔에 채운 위스키를 다 마신 난 곧장 침상에 들었다. 짓밟힌 감자가 발에 들러붙었지만, 이겨낼 수 없는 쏟아지는 잠이 짓눌렀다.

수건 삶는 냄새가 났다. 바늘과 실이 담긴 상자가 보였다. 난 바늘을 꺼내 실뭉치를 콕콕 찌르곤 이내 싫증이 나 화실로 향했다. 끄적이며 두서없이 그렸다. 그림을 본 어머니는 "우리가 바다에 간 적 있었나 어디서 본 거야?" 감탄인지 물음인지 헷갈리게 물었다. '있었나?' 고심해 봐야 도무지 없었다. 그럼 무얼 그렸던 거지. 검붉은 물이 가득한 곳이다.

고민 속에 태초의 감정이었음에 도달할 수 있었다. '당신과 함께 있을 때' 입을 떼려 했지만, 이미 어머니는 무심히 가버렸다. 그래서 홀로 외쳤다. 잊지 않은 채 각인되어 있던 기억의 화석을 발견했다고. 최초의 기억이 여전히 꺼지지 않고 불타고 있었다.

걷지 못했지만 부유하고 유영하던 시절. 뱃속으로 전해지는 파동과 그 안에서 흐르던 바다가 생생했다. 숨 쉬지 않아도 호흡이 막히지 않고 고동치는 심장이 평온하게 느껴졌던 날들. 태어나 처음 바라본 타오르는 벽난로 열기가 어머니의 탯줄이라 착각할 정도로 따뜻했다.

자각한 순간, 난 무던히 애썼다. 모든 기억의 종이가 흩날리며 사라져도 그 기억 한 장만은 조악한 손으로 움켜쥐겠노라고. 손이 찢어지면 입 안에 머금어서라도. 그렇지 않다면 삼켜서라도 지키고 싶었다.

매일 침실에서 포근했던 기억을 이불 삼아 잠들었다. 첫 만남. 첫 온기. 첫 포만감. 모든 것을 내게 준 그녀와의 기억이다. 잊지 않겠다 다짐하고자 어머니와의 사진에 오늘의 일기를 적곤 침대 아래 내 글들을 숨겼다. 언젠가 찾는다면 오늘이 떠오를 것이라 기대하며.

5.

산화되지 않고 '조'의 맥주를 기억한 건 그 속에 살아서일지 모른다. 방 안 어디를 둘러봐도 쌓인 버드와이저 병들. 아마 그 속에 남은 찌꺼기가 방을 도수 있게 만든 걸지 모른다. 취한 채 살았기에 육신을 지탱했다. 뭉개고 절여버렸기에 비로소 썩지 않고 오늘까지 살아남은 것이다. 부패하는 건 오로지 내 머릿속 치즈 한 장뿐.

그녀 사진만 있다면 내 가장 내밀한 하나 남은 치즈에 '가장 깊숙이 넣어서라도 잃고 싶지 않은 존재'를 '무한동력'처럼 되살릴 수 있을 것이다. 그 기억은 꿈속에서 옅게 수신됐다. 내 무의식에 간신히 발견된 기적이었다. 하지만 깨어나면 그녀가 잔흔처럼 보였다. 닿을 수 없고 만질 수 없고 느낄 수 없고 맛볼 수 없는 화석이었다.

꿈에 그녀는 숨 쉬고 있는 것일까? 하지만 난 흔적을 믿고 싶었다. 잠깐이든 아니든 되새김질한 찰나의 순간 난 세계 속에 그녀를 그림으로 기록할 것이다. 세계라고 말하는 건 그게 내 전부임을 직감했기 때문이다. '알에서 깨어나는 자'를 부정한 순간도 있지만 그 동물적 본능을 난 믿는 편이다.

그래서 '이카'가 되기로 결심했다. 난 수면제를 삼켜야 했다. 맥주 마실 돈도 이젠 아무 소용 없다. 남은 생에 난 심해 속에 잠긴 '이카'가

되어야 했다. 마지막 단계의 번데기가 지금의 나임을 깨닫는다. 다시 그녀의 자궁에서 깨어나고 싶다. 양수 속 날개를 펼치고 싶었다.

　수면제를 샀다. '조'의 약국으로 들어갔다.

　또 '조'의 약국에 들어선다.

　또 다른 '조'의 약국에 들어섰다.

　그리고 '조'의 약국에 들어선다.

　이상하구나. 당황했다. 내 눈엔 모두가 '조'로 보였다. 시간이 얼마 안 남았다. 몸뚱어리가 죽음을 느꼈다. 무슨 소용인가. 평온한 그날의 꿈 조각 하나를 지켜낸 것 같아 마약을 하듯 분출하는 무언가가 감쌌다.

　'이카'가 된 난 어머니의 뱃속 태초의 그날로 되돌아갔다. 잉태된 순간의 그녀를 마주할 수 있었다.

　양막이 터지듯 웃음이 나왔다. '조'가 건넨 농담도 얼음에 담긴 맥주도 없지만, 양수 속 평온이 다가왔다.

톨레도(Toledo),
'한바탕 울어볼 만한 곳'[1] 입니다.

지산

1 박지원 선생의 〈열하일기〉에서 따왔습니다.

지산   30여 년 동안 교사로서, 말하며 살았습니다. 그 말이 누군가에 용기가 되기를, 상처가 되지 않기를 바랐으나 욕심인 줄 압니다. 이제는 사흘이나 나흘 만에 한 번쯤은 나에게 말을 걸겠습니다. 남들에게보다는 나에게 좀 더 야무지게 묻고 따지겠습니다. 어떤 말은 독백으로 끝날 것이나, 가끔은 벗들이, 그 벗들의 벗이 읽어줄 글로 남기고 싶습니다.

여행을 시작합니다
2024.02.06.

  선배들이 하나둘 나가셔서 제 마음이 허전하던 차에 시우의 결혼 소식을 들었습니다. 나이를 잊고 살았는데, 새삼스레 제 나이를 헤아리고 딸들의 나이를 더듬었습니다.

  딸이 사랑을 하는 때를 경험하는 아버지는 어떤 마음인지 아직 헤아릴 수 없지만, 절대 단순하지는 않을 것으로 짐작합니다. 강보에 싸인 아기의 배냇짓으로도 껄껄 웃던 데서 욕심이 생겨서 이렇게 살았으면 저렇게 살았으면 하는 생각을 한 적이 있습니다. 먼저 살았다고 세상을 아는 척하려다가, 내가 산 세상을 딸아이가 살 것은 아닐 것이란 데 미쳐서 그만두고 그만두기를 거듭했더니 어느덧 제 삶을 사는 때에 이르렀습니다. 대견스럽다가 삶의 곤궁함도 알게 될 것을 아파하다가, 그것 또한 제가 감당할 삶이지 하는 데에 이르러 그만두었습니다. 일상을 사는 딸을 보고도 온갖 생각이 일어나는데, 일가를 이루는 일을 앞둔 아버지는 어떤 심정일까요?

사위 될 이는 어떤 사람입니까? 겸손하여 주변에 사람이 모여드는지요? 사람을 우선으로 여기는 사람이고 또 그렇게 살아온 사람이라 처절하게 패배하더라도 그에게 내미는 손이 많을 것으로 보이십니까? 넉살이 좋아 장인어른 한잔하시죠? 하며 자주 찾을 것 같습니까? 참으로 궁금합니다.

선배님께서 쌓은 덕이 높고 널리 베풀었으니, 사위가 그 은덕을 입고 올 것이라 봅니다. 그렇게 될 겁니다. 이곳저곳에서 사위 맞는 일을 축하하자고 달려들 올 것입니다. 나에게 벼슬을 줄 사람도 아니고, 황금을 줄 사람도 아닌데도 먼 길을 와서 손 맞잡는 이가 많은 것은, 그것이 그냥 그에게 기쁜 일이기 때문입니다.

혹여, 서운하지는 않습니까? 저는 딸이 결혼한다고 하면 참으로 서운하겠습니다. 딸을 향한 아비의 마음이 대체로 그러하겠지만, 저는 이 아이들이 바쁜 저를 대신하여 할머니를 살갑게 대하고 잘 챙겨 준 모습을 아프고 기쁘게 간직하고 있습니다. 그래서인지 아이들이 여행을 떠나도 마음 한 곳이 빈듯합니다. 그러니 딸이 사랑을 찾아간다니, 하, 상상이 안 됩니다. 선배님은 어떻습니까?

그런 딸들과 여행을 갑니다. 큰딸이 제 일이 벅찬데도, 아빠가 직장 일에만 묻혀 산다고, 아빠가 아니어도 직장은 탈 없이 유지될 것이라고 하도 성화여서 두 눈 감고 갑니다. 2016년 말에 어머니를 잃고 네 식구가 여행을 다녀온 뒤, 다시 함께하는 여행입니다. 작은딸이 유학하는 네덜란드 헤이그(Hague)와 레이던(Leiden)과 암스테르담(Amsterdam)을 거쳐서 스페인 안달루시아(Andalusia) 지방 몇 곳을 다녀올 계획입니다. 6일부터 시작하여 설을 쇠고 19일에 돌아옵니다.

거창한 계획은 하지 않았습니다. 세상일로부터 초연해질 곳이 필요했고, 너무 춥거나 덥지 않은 곳이면 좋겠다는 생각으로 방향을 정했습니다. 낯선 곳에 나를 놓아두면 보이는 것이 있을 것이란 기대는 있습니다. 주머니에서 돈이 나가는 만큼 저의 욕심도 덜고 왔으면 좋겠습니다. 보게 될 풍광에 흥이 일면 편지를 쓰겠습니다. 누구보다 기껍게 보아주실 것이라 믿습니다.

돌아와서는 온실에 양귀비를 심고 삼지닥나무 꺾꽂이를 하겠습니다. 화분 거치대를 사서 제라늄, 수선화, 프레지어도 앉힐까 합니다. 그리하여 질투와 원망이 없는 저들과 봄날 내내 지치지 않는 연애를 하겠습니다. 돈을 쓰지 않고 기쁠 일은 이만한 게 없지 않을까 싶습니다.

작은딸의 도전
2024.02.07.

비행하는 동안 조금 자고 더 길게 책을 읽었습니다. 바쁘게 퇴근하고 여행 가방 속에 넣은 책이 『이순신의 바다, 조선 수군의 탄생』입니다. 작가 조진태는 현재 시점에서 과거의 임진왜란 당시 이순신의 길을 따라갑니다. 나는 역사에 밝지 않고 공부가 부족하여 이순신 임진왜란의 역사적 의미를 되새길 역량이 없습니다. 다만 여행길에 무심히 지나쳤던 그곳도 이야기로 풀면 다시 찾을 곳이 될 수 있겠다고 생각했습니다. 유적이 뚜렷하지 않아 잊힌 곳도 작가의 붓이 스치면 역사성을 부여받고 생명을 얻게 되겠구나! 하는 생각이 일어날 때 비행기가 몹시 흔들렸습니다. 6일 13시쯤에 출발하여 14시간을 비행했는데도 6일 저녁에 도착했습니다. 대륙을 건너는 여행이 시간을 아끼는 방법이 될 수 있다니요. 해외여행의 재미 중 하나가 아닐까 생각합니다. 몰아치는 비바람, 암스테르담의 첫인상입니다.

7일은 흐린 하늘 사이로 파란 하늘이 보일듯합니다. 얼굴에 닿는 냉기는 춥지 않을 정도입니다. 헤이그로 가는 열차 밖은 가로로 세로로 물길이 보이고, 빠르게 지나는 둑에는 파란 풀들이 하늘 쪽으로 뻗었습니다. 겨울에 파란 풀이라니, 양 떼가 몰려와도 이상하지 않겠습니다.

작은딸은 언니에게서 힘을 얻은 데다 여행이 준 용기로 헤이그에서 유학하고 있습니다. 유학을 허락할 때, 무엇이 되기 위해 애쓰지 말고, 좋은 직장을 얻으려 힘쓰지 말라고 했습니다. 젊음을 믿고 낯선 곳에 자기를 던져보라고 했습니다. 우리네 삶이란 게 그저 허허벌판에 내던져진 데서 일어서서 길을 걷고 넘어지고 다시 일어서는 일이라고. 국내 대학 수준의 비용만 들 것이란 생각으로 딸의 도전을 응원하였는데, 아내 몰래 유로화 환율을 챙겨 보게 된 것은 순전히 작은딸 덕분입니다. 딸의 용기는 나날이 커져서 지금도 도전 중입니다. 또래 중에는 졸업을 한 이도 있는데, 딸은 다시 1학년이 되려 합니다. 그래도 처음 마음을 버리진 않겠습니다. 딸을 홀로 네덜란드로 보낸 100일쯤 뒤에 쓴 편지에 당시의 마음이 담겨 있습니다.

네가 가고 난 뒤, 100일 동안 난 하루도 널 잊은 적이 없구나. 아침에 눈 뜨면서 잠이 들었을까 생각하고, 자기 전에 오늘 하루 잘 지내는지 궁금해했어. 나의 마음을 귀찮게 여기지 않고 너는 잘도 답하고 재잘거려서 새로 생긴 즐거움이 되었지. 게다가 너는 혼자 힘으로 집을 얻어서는 함께 살 친구들을 모으고 배분하는 모습으로 잘 적응했음을 증명했지. 그 대견함은 자랑스러운 일이지만, 방을 비울 날은 다가오고 새집을 얻는 일은 막연했을 때, 어린 네가 감당해야 할 짐이 얼마나 컸을까 생각하면 마음이 아팠다. 그러나 너는 엄마와 나와 언니의 걱정을 말끔히 씻어주었어. 장하다! 우리 딸!!

더치어 공부를 시작한 일은 참 잘 되었다. 번역기가 출현하여 배우지 않아도 된다고 하지만, 한 단계 거쳐서 생각을 전하는 것과 직접 전하고 듣는 것은 차이가 크다. 그리고 표정이나 몸짓에서 배어나는 언어 이외의 의미는 얼마나 더 소중한지, 네가 익히 잘 알고 있을 것이다. 우선 말을 하나 더 하게 되면 새로운 세계를 더 알게 되는 것이란다. 사람도 알게 되지만, 그 말을 쓰는 사람들의 의식과 문화까지 알게 되니 얼마나 넓은 세상을 살게 될까? 물리적 공간만 중요한 게 아니라 그것을 실감하고 제대로 누리며 사는 길은 그 땅의 말을 배우는 것이란다.

간혹, 이런 생각을 한다. 인생이 반드시 무언가를 이뤄야 완성되는 것일까? 결론부터 말할게. 답은 '아니다.'이다. 만약에 인생이 무언가를 이뤄야 하고 오늘은 내일 이뤄질 무언가를 위해 애쓰기만 한다면 어떨까? 오늘은 언제나 내일을 위해 존재할 것이고, 내일이 오면 또 오늘과 다름없이 내일을 위해 수련하고 돈과 시간을 아껴야 할 테니 언제쯤 행복한 시간이 있겠니? 만약 그렇게 산다면 행복한 삶을 살 기회는 한 번도 오지 않을 거야. 그러니 모든 시간을 아끼기만 하지 말고, 어느 정도는 즐기고 누려야 해.

사실, 가장 중요한 시간은 오늘이거든. 오늘 행복하면 행복한 과거를 갖게 될 것이니까. 물론 미래를 위해 준비하는 시간과 정열을 쏟지 말라는 뜻은 아니야. 먹을 빵이 부족하여 조금씩 아껴 먹으면 내일도 먹을 것이 남을 것이고, 체력을 기르면 내일 달릴 힘이 있을 것이며, 다가올 미래에 필요한 재능을 닦아두면 그 기술로 미래의 삶을 윤택하게 할 수 있을 것이야. 그러나 지나치게 오늘을 희생해서 너무 힘들게 하거나 지치게 할 필요는 없다는 것이다. 때로는 아무것도 하지 않는 시간도 몸과 건강에는 필요하다는 얘기야.

21.8.25

아빠가

헤이그 주택가

좌절의 땅에서 희망 보기
2024.02.08.

 네덜란드를 알기도 전에 헤이그란 도시 이름을 알았지요. 우리나라 사람들이 거의 그렇지 않을까요? 1907년 고종의 밀명을 받은 이상설, 이위종, 이준이 제2회 만국평화회의에 참석하여 일제의 폭력적 침탈을 폭로하고 '을사늑약'의 무효를 주장하려 했던 역사적 사실을 배웠으니까요. 일본의 방해와 강국들의 비협조로 회의 참석은 실패하였으나 한국이 일제에 항거하고 있다는 사실을 알린 것은 역사적 의미가 있다고도 배웠지요.

 이준 열사! 뜻을 이루지 못한 울분이 얼마나 컸으면 뺨의 종기로 돋았을까요? 그것이 끝내 죽음으로 몰고 갔을 텐데, 일제는 사후에도 궐석 재판을 열어서 종신형을 선고했다고 합니다. 이런 역사적 맥락을 아는 까닭에 3.1절이면 딸이 찾는다는 이준 열사 기념관이 있는, 수도는 아니나 왕과 총리의 집무실이 있어서 실질적인 행정수도라 일컫는 헤이그, 그 헤이그로 가고 있습니다.

 헤이그는 걸어서 여행하기 딱 좋습니다. 줄을 짓고 집과 집을 이어서 이룬 마을이 정갈하게 보입니다. 주황색 지붕이 비스듬하고 벽은 주로 흰색이거나 붉은 벽돌입니다. 높은 언덕이 없고, 수로가 길게 뻗어 있고 곳곳에 수로를 가로지른 다리가 놓여 있습니다. 수로를 따라 늘어선 가로수를 따라 걷다가 다리가 아프면 배를 묶은 밧줄을 풀고

가사 없는 음악을 들으면 배가 절로 흘러가겠지요. 노를 저어도 힘이 들지 않겠습니다. 아쉽게도 나무는 잎을 달지 않았고, 배는 타지 못했습니다.

작은딸은 조금 들뜬 목소리로 설명합니다. 이런 날씨는 보기 드물어요. 봐요. 하늘이 파랗잖아. 저곳이 내가 공부한 곳이고, 여긴 내가 점심을 사 먹는 곳, 저 높은 건물이 기숙사예요. 나는 딸의 설명을 흘려듣습니다. 아이엘츠(IELTS) 시험을 치르고, 입학 절차를 진행하고, 기숙사를 구하는 모든 과정을 딸은 혼자서 처리했습니다. 딸은 이 낯선 도시의 외로움과 무서움을 어떻게 견디었을까요? 기숙사 직원이 퇴근해버려 길거리를 헤매던 일, 친절한 튀르키예 여성을 만나서 하룻밤을 의지한 이야기를 떠올립니다.

이준 열사 기념관은 '사단법인 이준 Academy'에서 1995년 8월 5일에 개관했다고 합니다. 열사가 묵었던 호텔을 사들여서 꾸몄다는데, 유럽에 존재하는 유일한 독립운동 유적지라고 합니다. 우리는 열사의 방을 돌아보며 유품에서 아픔을 읽고, 놓인 의자에 앉아도 봅니다. 을사늑약의 부당함을 폭로하고자 이역만리를 달려와서 좌절을 맛본 심정은 어떠했을까요? 여기서 묵고 여기서 삶을 마감했다니, 희망과 절망이 교차한 이곳, 예산 문제로 입장료를 받고 있다지만 그렇지 않더라도 10유로는 기꺼이 낼 만하지 않을까요?

만국평화회의가 열렸다는 비넨호프(Binnenhof), 이준 열사가 들지 못했던 '기사의 전당' 겉모습을 훑어보며 지나칩니다.

누르데인데 궁전(Noordeinde Palace)의 화려한 문양에도 마음을 두지 못합니다. 딸은 열심히 설명하는데, 나는 다른 생각에 골똘했기 때문입니다. 이를테면, '이준은 호프베이베르(Hofvijver) 호수에 비친 자기 얼굴을 보았을까. 자기 얼굴을 보았다면 윤동주처럼 미워하다가 그리워하기를 반복했을까.' 하는. 이런 생각으로 걸어서인지 감흥은 일지 않고 슬픔만 고입니다. 그러나, 누군가 기념관을 지어 뜻을 기리고, 그 시대의 온당한 삶이 어떠해서야 했는지 생각하게 한 것은 이어질 역사를 위해서는 좋은 일이라고. 그나마 다행이라고, 희망이 있는 것이라고 생각하는데…….

작은딸이 부르는 소리를 듣고서야 죄 없는 계절을 탓하며 '봄날이나 여름에 다시 오면 정말 좋겠다.'라는 말로 딸의 핀잔을 물리칩니다.

헤이그에서 맛집이라는, 레스토랑(L'osteria)에서 점심을 먹습니다. 지름이 50센티미터는 될 듯한 피자와 주황색 양념을 덮어쓴 파스타가 나옵니다. 이탈리안 음식은 익숙하지 않으나 딸들과 여행하려면 감수해야 합니다. 인상을 찌푸리거나 맛이 왜 이러냐는 말은 여행을 망칠 망언이 될 수 있습니다. '목이 타네!'라며 맥주 한 잔을 더 시켜 느끼함을 이겨봅니다. 그리 비싸지 않은 식당이라지만 학생에게는 부담스러운 가격이라 작은딸에게 묻습니다.

"여기 자주는 못 왔겠네?"

"그럼, 유학생들끼리 벼르고 별러서 오는 곳인데."

그런데도 내가 좋아할 음식은 아닙니다. 그 집 음식 탓이 아니라, 지리산 산골 출신이라 입이 짧은 내 탓이지요.

큰딸은 직장을 가진 뒤에 교환 학생으로 있던 오스트리아 빈으로 여행을 간 일이 있는데, 가는 곳마다 그 시절 추억이 떠올라서 울먹울먹했다고 합니다. 학생 시절에는 먹고 싶은 음식이 있어도 값을 보고 돌아서고, 갖고 싶은 물건이 있어도 '별로 좋아 보이지 않아'라며 지나쳤다는군요. 여행을 가서는 유학할 당시에는 살 수 없었던 메뉴를 시키면서, '내가 이런 걸 살 수 있다고?' 하며 스스로 대견스러웠다고 합니다. 스스로 값을 치를 수 있게 된 자신이 좋았다고는 하나, 가난한 유학생들이 다 그러지 않을까요?

항쟁의 도시를 걷는 이방인
2024.02.09.

레이던(Leiden)에서 풍차를 보았습니다. 여지없이 물이 흐르고, 뚝 양쪽엔 푸른 풀빛이 물을 따라 흐릅니다. 굽이를 도는 곳에 풍차가 위엄 있게 섰는데, 구경하는 우리를 보고 혀를 내밀며 여자아이 무리가 지나갑니다. 철이 없어서이기도 하겠지만 우리가 동양인임을 느끼게 하는 증거이기도 할 테지요. 그래도 대마초를 허용하고, 주택가에 성매매 업소가 있어도 크게 탓하지 않는다고 하니, 차이를 인정하는 태도만큼은 부러웠습니다.

레이던은 인구 12만 명 정도의 작은 도시입니다. 스페인군이 레이던 도시를 함락하고자 '80년 전쟁'을 치를 때, 레이던 시민들은 에스파냐의 침략에 굳건히 맞서 싸웠다고 합니다. 시민들이 힘써 싸운 공을 인정받아 대학이 세워지는데, 그것이 레이던대학교라고 합니다. 레이던 대학은 네덜란드에서 가장 오래된 연구 중심 대학이고, 학사 관리가 엄격하며, 왕실의 교육기관으로 유명하다고 합니다. 레이던대학교 도서관을 창 너머로 보며 공부하고 싶다고 생각할 때, 딸이 또 부릅니다.

언덕 위 레이던 성(Burcht van Leiden)으로 오릅니다. 도시를 지키려 싸운 레이던 시민들의 결기가 서린 원형의 성에 올라 시가지를 봅니다. 고풍스러운 건축물, 웅장한 성당, 풍차와 물길이 빚어내는 풍광이 렘브란트(Rembrandt)와 얀 스틴(Jan Steen)이 태어날만한 곳이란 생각을 했습니다. 내려오는 길, 설강화에 눈이 닿았습니다. 서울에서 눈을 보고 왔는데, 여기에선 눈빛에 뒤지지 않을 빛깔로 조촐히 바람을 맞고 선, 설강화를 보았습니다. 작은딸이 저처럼 자기 삶을 피워내길 바랐습니다.

네덜란드 여행 사흘째입니다. 암스테르담 하늘은 부쩍 내려앉아서 추웠습니다. 높은 건물 사이로 운하가 흐르고, 운하 둑엔 수선화가 피어 있습니다. 바람은 차가워도 꽃이 필만한 온도인 듯합니다. 운하에 닿는 빗줄기가 제법 굵어서 튀어 오르는 물방울도 큽니다. 자전거를 타고 가는 사람, 빠른 걸음으로 걷는 이들이 대체로 우산을 쓰지 않은 것이 신기하지만, 우산을 받쳐 든 우리를 낯설게 쳐다보는 이도 많았습니다. 이런 순간에 나는 생뚱맞게도 조지훈의 시를 떠올립니다. '철책 안에 갇힌 것은 나였다 / 문득 돌아다보면 / 사방에서 창살 틈으로 / 이방(異邦)의 짐승들이 들여다본다 / 여기 나라 없는 시인이 있다고…….'

온종일 내린 비로 우리는 암스테르담 국립 미술관으로 옮겼습니다. 미술관 안에 전시된 작품을 보지 않아도 100년 넘은 미술관을 보는 것만으로도 감흥이 일어납니다. 비에 젖어 건물의 붉은빛 흰빛이 선명하고 미술관 앞 광장의 나무도 아름다움을 더합니다. 수많은 작품을 보았고 이름을 아는 작가의 작품도 보았으나 미술엔 젬병이라 특별히 옮길 말이 없습니다. 미술관 안에서 먹는 커피와 쿠키가 맛있습니다.

암스테르담 대학교를 지날 때 작은딸은 갑자기 '설렘'에 대해 말합니다. 시험이나 발표 수업을 앞두고 밤새워 공부하는 모습을 상상하면 설렌다고 합니다. 막상 시험을 앞둔 불안은 누구보다 크게 느끼면서도 그런 긴장감 넘치는 삶을 설렌다고 하니, 그의 언니는 이해할 수 없다고 하네요. 알 듯 모를 듯하지만, 딸의 현재 목표는 암스테르담 대학교 입학입니다. 헤이그대학은 실무중심대학인데, 2년 동안 공부한 것을 밑천 삼아 연구 중심대학교에서 공부하고 싶답니다. 작은딸은 여행 중에 마지막 입학시험을 안내받게 됩니다. 우리는 도전은 아름다운 것이란 말로 응원은 하되 학비 걱정은 묻어둡니다.

헨드릭 하멜(Hendrik Hamel)의 땅, 낮은 곳에 온 지 사흘째 밤입니다. 밤이 새면 스페인으로 갑니다. 작은딸은 네덜란드를 제대로 보여주고 싶었는데, 짧은 시간이 아쉽고, 하루 빼곤 내내 비가 내린 것을 안타까워하고 있습니다. 나는 그런 딸이 귀엽고 대견하고 안쓰럽습니다. 아비가 딸에게 거는 기대가 무에 그리 크겠습니까? 그저 함께하는 이 시간이 너무나 행복할 뿐인데요.

레이던 성에 핀 설강화

암스테르담 대학교의 낭만적인 물길

암스테르담 국립미술관

길을 잃어서 좋은 여행
2024.02.10.

스페인 말라가(Malaga) 공항으로 갑니다. 우리가 주로 여행하고자한 곳이 스페인이니 이제부터 본격적인 여행을 시작하는 셈입니다. 암스테르담을 이륙한 비행기는 의료적 문제가 생긴 승객을 내려주기위해 파리에서 내렸습니다. 연료를 채우고 다시 이륙하기까지는 1시간이 더 걸렸습니다. 영화에서나 보았지, 실제로 이런 경험을 하다니요. 이런 일은 항공사 책임이 아니니 아무런 변상도 하지 않는다고 하네요. 그런데 정말로 신기한 일은 승객 중 누구도 승무원에게 항의하거나 이 상황을 당황스러워하지 않는 것입니다. 마치 늘 있는 일처럼, 구급차가 도착하자 들것이 오르고, 환자를 이송하는 일련의 과정을태연히 지켜 봅니다. 어떤 승객은 책을 보고, 어떤 승객은 조용조용 이야기에 빠져 있습니다. 우리만 당황한 듯합니다.

우리는 말라가 공항에 내려서 알바이신(Albaicin)으로 가는 버스를 탈 예정이었습니다. 알바이신 마을은 그라나다 알람브라 맞은편마을인데, 우리가 묵을 숙소가 그 마을에 있습니다. 예약한 버스는 우리를 기다려주지 않을 것인데, 다음 버스는 예약할 수 없었습니다. 늦긴 하였으나 비 내리는 말라가 공항에 도착했습니다.

말라가 공항에서 알바이신으로 가는 길은 택시를 탑니다. 비는 내리고, 예약한 버스는 떠난 지 오래라 걷는 것 말고는 선택지가 없는 셈입니다. 오다가 그치기를 반복하는 비 사이로 스페인 남부의 풍광을 엿봅니다. 나지막한 산과 들판에 강버들처럼 줄지어 선 것이 올리브인가 봅니다. 간간이 분홍빛이거나 흰빛으로 보이는 것이 살구꽃이거나 복숭아꽃쯤으로 보입니다. 차를 세워 확인하고 싶은 마음이 자꾸만 일지만 시간에 쫓기는 처지라 속으로만 헤아려 봅니다. '저렇게 많은 올리브농장은 누가 가꾸지? 달려도 달려도 사람의 집은 얼마 되지 않잖아. 저 많은 올리브는 도대체 누가 다 따지?' 두어 시간 달리는 동안 올리브는 끊이지 않아서 올리브 세계 최대 생산국의 면모를 자랑합니다. 연간 825만 톤이나 된다네요.

택시 기사는 알바이신의 좁고 비탈진 길을 힘겹게 오르다가, 몇 차례 굽이를 돌고 돌더니 어느 골목에 내려주고 가버립니다. 우리는 비가 추적대는 골목을 캐리어를 끌고 들며 나릅니다. 끌다가 바퀴가 고장이라도 나면 낭패입니다. 급기야 나는 아내도 여자이고 딸도 여자임을 떠올립니다. 나는 농사일로 단련된 몸을 자랑하며 25킬로그램 캐리어를 들어서 옮깁니다. 그러나 여러 차례 반복하고 보니 팔엔 힘이 빠지고 비와 땀이 눈을 타고 내립니다. 풀린 근육이 힘을 잃어가자 택시 기사를 원망합니다. 그러나 알바이신 골목길은 차가 다니기엔 좁았고, 캐리어를 끌며 가기에는 굴곡이 심합니다. 신혼인 듯한 젊은 이도 비를 맞으며 들고 오는데, 우리는 뭔들 못할까? 생각하며 숙소에 듭니다.

아, 그런데 말입니다. 신은 까닭 없이 시련을 주지는 않음을 깨닫습니다. 짐을 내리고 소파에 앉으니 통창 너머로 보이는 곳이 알람브라!

숙소는 알람브라 궁전 전체를 온전하게 보이고, 오던 비도 멈추고 파란 하늘도 보입니다. 아내와 아이들은 내가 고생했다고 가만히 앉아 있으라 합니다. 고기를 굽고 스페인산 포도주를 준비합니다. 향긋한 잔을 기울이니 목을 넘는 소리가 경쾌합니다. 얼굴이 달아오른다고 느끼니 햇살을 받은 알람브라가 더 붉어집니다. 내일은 저 성안을 걸을 것입니다.

　"인샬라!"

알바이신 숙소 창 너머로 보이는 알람브라

망한 나라에서 느끼는 아름다움
2024.02.11.

알바이신 마을 골목길

알바이신 마을은 알람브라 쪽에서 보면 북쪽에 자리한 마을입니다. 이 나라 특유의 빛깔, 황토 빛깔의 지붕에 벽은 대체로 하얗습니다. 언덕을 따라 옹기종기 벽을 공유하며 지어진 집 사이로 좁은 골목이 마을 이곳저곳을 안내하는데, 끊어지는가 싶으면 다시 골목이 나오고, 예상치 않은 곳에 작은 가게가 나타납니다. 북동쪽에서 흘러온 다로강(Darro river)이 동서로 흐르며 알바이신 마을과 알람브라를 나눕니다.

산자락을 따라 길게 이어진 이 마을 위쪽에 있는 니콜라스 전망대(Plaza Mirador de San Nicolás)로 올라갑니다. 비에 젖은 건물의 빛깔이 선명하고 골목도 청소가 되어 깔끔합니다. 해가 뜨기 전이라

날은 쌀쌀하였으나 폐부로 드는 공기가 신선합니다.

광장에는 혼자 온 듯한 한국인이 말을 걸어옵니다. 사진을 찍어 달라는 부탁에 카메라를 듭니다. 기막힌 알람브라를 렌즈 너머로 보면서 초점을 맞추는데. 아, 관광객 너머로 보이는 저 순백의 설산! 시에라 네바다(Sierra Nevada)가 성큼 다가서 있습니다. 어제 그라나다에 비가 내릴 때 네바다 산맥엔 눈이 쌓였던 것이죠. 그라나다의 마지막 왕 보압딜이 알람브라를 이사벨 여왕에게 잃고 저 설산을 넘었다지요. 알람브라를 잃는 것이 나라를 잃은 것보다 더 슬픈 일이라고, 이사벨 여왕에게 항복하는 순간까지도 알람브라를 살려달라고 애원했다고 하니, 설산을 넘다 되돌아보는 보압딜 왕의 울음소리가 들릴 법도 합니다.

오후의 햇살이 비낄 때, 알람브라가 더 붉어져 장관이 된다고 하여, 어제 오후에 카메라와 삼각대를 들고 전망대에 올랐으나 구름이 해를 가려 좋은 노을은 보지 못했습니다. 그 대신, 설산을 배경으로 우뚝하니 선 알람브라도 놓치기엔 아까운 모습입니다. 무엇보다 사람이 많지 않아서 알람브라를 카메라에 담거나 이곳저곳을 옮겨가며 감상하기엔 더없이 좋습니다. 한층 가깝게 다가선 그라나다 시가지도 아침을 풍성하게 합니다.

그라나다 시내로 걸어서 갑니다. 이 동네는 골목길을 걷는 재미가 있습니다. 창이나 베란다를 꾸민 꽃들이 눈길을 끌고, 콘크리트에 자갈을 박은 길바닥, 이슬람풍이 가득한 기념품 가게들, 전망 좋은 곳에 자리한 카페, 이 모두가 길을 걷는 즐거움입니다. 간간이 비가 날리기도 하지만 우산을 펼치지 않고도 감당할 만합니다. 굽이굽이 골목길을 따라 얼마를 내려가는데, 그 좁은 길로 다니는 미니버스가 경이롭습니다. 거리의 사람들은 활기차고 표정이 밝습니다. 뜨거운 초콜릿에 추로스(Churros)를 찍어 먹는 사람들의 표정도 즐거워 보입니다.

알람브라에 듭니다. 망루에 올라 알바이신 마을을 조망하고, 큰딸이 이끄는 대로 정의의 문을 지나 나사리(Nasrid) 궁전과 알카사바 헤네랄리페 돌아보는 재미가 큽니다. 겉모습과는 달리 내부는 화려하고 정교한 아라베스크 문양이 벽과 천장을 장식하고 있습니다. 아름답고 섬세한 기하학적 무늬로 이뤄진 저 벽면을 보면 진정 저것을 사람이 만든 것이란 말인가 하는 탄성을 지르게 됩니다. 아라야네스(Arrayanes) 중정의 연못에는 코마레스궁(Comares)과 하늘빛이 아름답게 담깁니다. 누구라도 찍기만 하면 예술품이 탄생합니다. 궁의 모습이 주는 아름다움과 정교함에 대해서는 나의 부족한 재주로 표현할 길이 없습니다. 곳곳에 잘 다듬어진 정원은 의자를 찾게 합니다. 시간이 주어진다면 한참이라도 앉아서 차를 마시거나 책을 펼쳐보고 싶습니다.

왕들의 정원 헤네랄리페(Generalife)를 걷습니다. 잘 정돈된 사이프러스 가로수길은 하루 종일 걸어도 지겹지 않겠습니다. 자연 상태로 있는 것은 그것대로 좋고, 잘 다듬어져 인공미가 느껴져도 워낙 규모가 커서 입을 다물지 못합니다. 이곳의 정원은 가운데로 물이 흐르고 분수가 양쪽으로 나란하고 가장자리에 갖가지 꽃들이 피어납니다.

크게 자란 부겐빌레아가 벽면을 타고 흐드러집니다. 붓꽃도 피어나고 간간이 복숭아꽃도 있습니다. 2월인데 완연한 봄기운을 느낍니다. 한국엔 아직 찬 기운이 가득하지요? 이곳의 봄 햇살을 한 줌 던져주고 싶습니다.

아라야네스 중정

사이프러스 길

눈 덮인 시에라 네바다

기대가 무너졌다고 절망할 필요는 없다.
2024.02.12.

점심으로 먹은 '빠이야'가 뱃속에서 불어나 배가 불러옵니다. 해산물이 잔뜩 들어 있는 볶음밥이라 하는데, 즐기지 않아도 해산물이나 독특한 향은 견딜 만하지만, 설익은 쌀은 용서할 수 없네요. 쿠쿠나 쿠첸 밥솥이 스페인에 팔리는 때에 다시 와서 사 먹으리라 다짐합니다.

그라나다부터는 차를 빌려서 이동하고 있습니다. 세비야까지 승용차로 움직일 계획인데, 동선이 길고 가는 길마다 들를 만한 곳이 많다고 큰딸이 내린 결정입니다. 그라나다 시내를 벗어나자 들과 산을 잇는 도로 양쪽엔 줄지어 선 올리브나무가 우리를 맞이합니다. 간간이 나타나는 몇 채의 하얀 집이 주황빛 스카프를 쓰고 우리를 스쳐 가더니, 이내 진초록 풀빛을 둘러쓴 산과 들이 부드러운 곡선으로 이어져 마치 텔레토비 동산 같습니다. 마주치는 차가 드물고 우리를 앞지르는 차는 하나도 없습니다. 풀빛을 감상하려고 길 한쪽에 차를 세우고 텔레토비 동산을 한참이나 바라봅니다.

말라가주 프리힐리아나(Frigiliana) 마을은 온통 하얀 집입니다. 기독교 세력에 쫓겨난 이슬람교도들이 산자락에 집을 지으면서 형성된 마을이라는데, 스페인에서 가장 아름다운 마을로 뽑힌 적도 있다네요. 더위 때문에 흰색으로 칠했다고 하는데, 하얀 집에 대문만으로도 색감이 두드러진데, 창가나 대문 앞에는 갖가지 꽃들이 놓여 있어

다채롭습니다. 어느 집 앞이든지 그냥 지나치기 아까워 앉아보고 사진으로 담기에 바쁩니다. 한 골목을 돌아서서 저 앞이 예쁘다고 여길 때 지나쳐온 골목이 다시 생각나기도 하는, 이곳에서 한번 살아보고 싶은 생각이 일어납니다.

쉬어가자고 언덕 위 카페에 앉았는데, 큰딸은 바다가 보이지 않는다고 아쉬워합니다. 마을 너머로 보이는 지중해가 회색빛이 아니라 에메랄드나 코발트였다면, 아름다움이 한층 더해질 듯도 합니다. 큰 딸은 직장 일이 버거울 텐데도 그 푸른 바다를 볼 것이라 기대하고, 혹은 보여주고 싶다는 생각으로 장소를 정했을 것입니다. 나는 그 마음을 압니다. 스페인은 내일 다시 오고 싶다고 쉽게 올 수 있는 곳이 아니니까요. 나는 '괜찮아. 이것도 좋아. 여행은 예기치 않은 상황을 만나야 제맛이래.'라는 말을 자주자주 합니다.

정말 그랬습니다. 우리는 비가 아니었으면 볼 수 없는 빛을 보았습니다. 숙소 근처 바닷가엔 어제 내린 비로 고인 물이 거울이 되어 장관을 빚었습니다. 저녁놀이 어둠으로 바뀌기 직전에 가로등과 어우러진 빛의 향연에 나는 한참을 머물렀습니다. 우리 삶도 그러하여, 때론 원치 않은 상황과 맞닥뜨리면서, 그렇지 않았으면 볼 수 없는 사람을 만나고 그렇지 않았으면 얻지 못할 수확도 있는 것이지요. 나는 그래서 얻은 벗이 많고, 그래서 얻는 깨달음도 많습니다. 내일은 또 어떤 일이 펼쳐질지 기대됩니다.

굳은 날씨가 빚은 빛의 향연

프리힐리아나 골목길

벗과 함께 누리고 싶은 것들
2024.02.13.

　여행하는 동안에도 직장의 일은 계속됩니다. 나는 그 일을 다른 이에게 잠시 맡겼습니다. 선배도 있고, 후배도 있습니다. 그들 모두 내가 아끼는 사람들이고 직장을 퇴직한 뒤라도 이야기 나누며, 술잔을 기울일 좋은 사람들입니다. 여행 중에, 멋진 곳을 보고, 가족과 함께 오지 못한 아쉬움에 다음엔 꼭 같이 와야겠다고 생각하거나, 그 뜻을 직접 말로 표현하기도 하지 않습니까? 나는 가족과는 이미 함께하고 있으니, 나의 일을 맡은 선배나 후배를 떠올렸습니다.

　언제나 자신의 안위보다 학교와 학생을 먼저 생각하는 그들은 나의 넋두리와 사사로운 고민까지도 멀리하지 않았습니다. 하여, 나는 더 자주자주 그들을 찾았습니다. 그런 벗들이 얼마나 힘들었을지 지금에서야 짐작해 봅니다. 온 세상의 문제를 제 혼자 짐을 진 것처럼 하는 내가 얼마나 귀찮았을까요? 내가 가장 똑똑한 것처럼 군 일이 한두 번도 아니었을 텐데, 어찌 한 번도 싫다 여기지 않고 들어 주었을까요?

　그들은 언제나 자신에게 이로운 것을 멀리하고, 나에게 이로운 것엔 눈감았습니다. 그럴수록 내 앞에 떨어진 이익을 주우려 하지 않았고, 물러나서 스스로 되살피는 버릇을 갖게 된 것은 오로지 그들 덕분입니다. 30년 넘는 세월 동안에 마음이 가난하지 않았던 까닭이고 지금도 나아갈 길을 찾는 힘이 되고 있습니다. 바쁜 일을 핑계로 술잔도 나누지 못하다가, 멀리 떠나온 이곳에서야 그들의 우정과 의리를 헤아려 보다가 다다르지 못한 채 잠들었습니다. 세 명만 있으면 일을 도모할 만하고, 그들 모두가 한마음이면 어떤 도전도 감당할 만할 텐데, 나에게는 그런 벗들이 다섯 명이나 있습니다.

날이 갠 말라가 해변

동쪽의 붉은 기운이 더 투명해져서 나는 숙소 밖으로 나왔습니다. 바다 쪽 말고는 어둠이 다 가시지 않아 고요하였는데, 해변 쪽으로 걸으니 찰랑거리는 물결이 활기가 넘치고, 막 솟아오른 태양 빛이 해변까지 이어져 붉은 비단길이 펼쳐졌습니다. 저 황홀하고 찬란한 순간을 벗들과 나누고 싶습니다. 그래서 사진에 담습니다. 저 찬란한 빛이 벗들이 있는 곳에도 닿기를 기원합니다. 해가 몇 길이나 솟은 뒤에야 숙소로 돌아오는데, 내 몸이 가벼워져서 오늘은 더 많이 걸을 수 있을 것 같습니다.

절벽 위의 도시, 론다에서 느끼는 감회
2024.02.14.

론다(Ronda)에서 눈을 떴습니다. 발코니로 나가니 아찔한 협곡에 버티고 선 누에보 다리(Puente Nuevo)가 보입니다. 이 숙소의 주인은 어쩌자고 이런 곳에 집은 지었는지 참으로 궁금합니다. 저 다리를 지은 까닭이야 구시가지(La Ciudad)와 신시가지(Mercadillo)를 잇기 위한 것이었다는 설명으로 고개를 끄덕일 일이지만. 지금 무너져도 괜찮을 이곳에 집을 짓다니, 우리로서는 상상할 수 없는 일이지요. 이곳에는 비가 많지 않아서 잘 무너지지는 않다고는 합니다. 어쨌든 이곳에 집을 지은 이 마을 사람들 덕분에 우리는 절경을 앞에 두고 커피를 마시는 행운을 얻었습니다.

론다는 투우가 처음 시작된 곳이라고 합니다. 그리고 미국의 소설가 헤밍웨이가 소설 『누구를 위하여 좋은 울리나』를 집필한 곳으로도 유명합니다. 프랑스 시인 릴케도 자기가 찾고 싶었던 꿈의 도시를 찾았는데 그것이 론다였다고 합니다. 투우는 관심 밖의 일이니, 투우장을 뒤로 하고 헤밍웨이 흉상 앞에 섭니다.

헤밍웨이는 어디를 걸었을까요? 헤밍웨이는 여기 무엇을 좋아했을까요? 저 절벽의 아찔함이었을까요, 아니면 절벽 아래를 걸으며 보는 저 산자락의 들판이었을까요, 이곳에서 살아가는 사람들의 인정이었을까요? 700미터 고지대에 펼쳐진 올리브 빛깔, 풀빛이 하늘에 닿았습니다. 도시가 매우 깨끗하게 정돈된 느낌을 줍니다. 누에보 다리에서 신구 시가지 어느 쪽으로 걸어도 시원한 바람이 불어와 휘파람을 불어도 좋겠습니다. 론다 전망대에서 내려다보이는 협곡 사이로 흐르는 물이 들판을 적시어 하얀 분홍 꽃으로 피어나고 풀빛을 더욱 푸르게 만듭니다.

헤밍웨이가 걸었음 직한 계곡에 들어서니 아찔하게 솟은 누에보 다리를 지나는 사람들이 자그맣게 보입니다. 비탈진 산자락에 피어나는 꽃들이 여행객의 여러 옷 빛과 어우러져 아름답습니다. 헤밍웨이의 말처럼 과히 사랑하는 사람들과 함께 보낼만한 곳입니다. 유럽의 역사, 스페인 내전에 관해선 공부하지 않아서 숙제로 남기지만, 이 빼어난 절경을 걷던, 론다를 사랑한, 우울하게 생을 마감한, 헤밍웨이를 한참이나 생각합니다.

론다의 언덕, 오른쪽 위쪽에 누에보 다리가 있다.

가던 길을 멈추는 곳
2024.02.15.

세비야(Sevilla)에서 늦잠을 잤습니다. 아내와 두 딸 모두 조금은 지친 듯하여 조금 더디게 가기로 했습니다. 쉬려고 계획한 일인데 '수학여행'처럼 다닐 필요가 있냐는 작은딸의 말도 받았습니다. 저녁에 먹고 남은, 숟갈에서 벗어나려고 발버둥질하는 밥알을 해결하려 라면을 끓이고, 달걀말이도 했습니다. 설거지하고 앉으니 오전이 다 갑니다. 스페인까지 와서 이러나 싶다가, 그래도 스페인이잖아 하다가, 그래도 우리 식구가 함께 있잖아 하는 말로 마무리합니다.

우리 각자는 저마다 일정한 짐을 이고 삽니다. 그 무게는 다른 이가 평가할 수 없는 절댓값입니다. 그러니 서로의 무게를 인정하면서 일부러 꺼내지는 않습니다. 하소연하면 들어주고 도와달라면 도울 뿐이지요. 아비 노릇 한답시고, 혹은 남편의 위엄(?)을 보이느라 내가 나서서 가족을 힘들게 한 일이 있었는지는 모릅니다. 기억나면 고칠 것입니다. 13시에 일정을 시작합니다.

여행 중에 길을 걷다가 멈추고 응시하는 지점이 있습니다. 그것은 사람마다 다를 것인데, 사람마다 관심사가 따로 있고, 살아온 내력이 다르니 당연한 일일 테지요. 가족이 같이 길을 가도 마찬가지입니다. 두 딸은 예쁜 가게나 소품을 파는 가게 앞에서 멈추고, 아내는 테라스가 잘 꾸며진 집에서 감탄합니다. 나는 각자의 관심에 공감하기도 하지만 나무나 풀들 앞에서 멈추고 그들의 이름을 묻습니다.

세비야를 그냥 걸어봅니다. 안달루시아(Andalucia) 세비야(Sevil-la)에는 복숭아꽃이 지고 있고, 수선화가 가득하고, 시클라멘, 제라늄이 노지에 피어 있습니다. 부겐빌레아는 큰 나무로 자라 덩굴 가지에 꽃을 달고 있고, 아네모네 란타나도 거리마다 피어 있습니다. 일본 재스민의 샛노란 빛깔을 보는 기분이 매우 좋습니다. 가로수로 있는 오렌지는 주황색 열매를 단 채로 새잎과 하얀 꽃을 밀어내고 있습니다. 새 꽃이 피는데 열매가 함께 있는 모습은 볼수록 신비합니다.

아직 이름을 익히지 못한 나무, 들었는데 잊은 이름들도 많습니다. 잘못 기억하는 이름도 있을 것이지만, 이국에서 낯익은 풀꽃을 발견하는 일, 잊었던 이름을 불러보는 일 모두가 여행이 주는 즐거움 중의 하나입니다. 시간이 흘러서 스페인 여행을 떠올리는 날이 있을 때, 저들도 함께 생각할 것을 압니다.

세비야 스페인광장

탐욕과 반생명적 발상
2024.02.16.

알카사르를 관람했습니다. 8세기 이후 300년이 넘는 기간 동안 무어족이 지배해 왔는데, 13세기에 기독교 세력이 다시 들어온 뒤에도 이슬람의 문화의 자취는 뚜렷했다고 합니다. 기독교 세력이 새로운 왕궁을 지으라 했다지만, 무어인의 요새 자리에 지었고, 왕궁을 지은 이들은 무어인들이었다고 합니다. 그래서 건물도 이슬람과 기독교 양식의 혼합된 형태라고요. 자신들을 탄압한 제왕이 머무를 곳을 무어인들이 지었다니, 여기서도 역사의 아이러니를 보게 됩니다. 화려한 빛깔의 타일이나 아치 모양은 익히 보았던 터라 감흥이 덜했습니다. 아이들은 오전에 쉬기로 하여 아내와 둘이서만 나왔는데, 정원에서 오렌지를 즐겼습니다. 아내가 나무와 풀과 물을 좋아하는 일이 나와 같아서 정원을 걷는데 다툼이 없습니다. 오렌지가 주렁주렁 달린 것이 마치 등을 단 것 같아 밤이어도 어둡지 않을 듯합니다.

오후엔 세비야 대성당으로 걸음을 옮겼습니다. 이곳에 오기 전에 세비야 대성당에도 갈 것이라고 했더니, 벗이 주문하기를 '제국주의 본산을 잘 보고 오세요.'라고 합니다. 그 벗은 지리를 전공하여 지리적 특성과 세계사의 관계에 관해 밝은 편이지요. 나는 그 벗의 제안에 담긴 뜻을 익히 헤아려 오래전에 읽었던 글을 떠올립니다. 바로 발상의 전환의 좋은 사례로 자주 인용되는 '콜럼버스의 달걀'에 관한 김민

옹 선생의 지적인데, 매우 공감하는 마음으로 옮깁니다.

알카사르의 오렌지

달걀의 겉모양은 타원형이다. 애초에 세울 이유가 없도록 설계되어 있는 것이다. 둥지에서 구르더라도 그 둥지의 반경을 벗어나지 않도록 고안된 생명의 섭리가 담겨 있다. 따라서 달걀을 세워 보겠다는 것은 그런 생명의 원칙과 맞서는 길밖에 없다. 먹기 위해서가 아니라면. 둥지에서 벗어나지 않도록 만들어진 생명체를 자신이 원하는 자리에 고정시켜 장악해야겠다는 생각이 콜럼버스의 달걀을 가능하게 만드는 뿌리이다. 그래서 그것은 상식을 깬 발상 전환의 모델이 아니라, 생명을 깨서라도 자신의 구상을 달성하겠다는 탐욕적·반생명적 발상으로 확대된다.

실로 콜럼버스와 그의 일행은 카리브 해안과 아메리카 대륙에 상륙해서 자신들이 원하는 금과 은을 얻기 위해 무수한 생명을 거리낌 없이 살육했다. 결국 콜럼버스의 달걀은 서구의 제국주의적 팽창 정책을 뒷받침하는 사고의 원형이 된다. 그것이 전개되는 과정에서 아시아·아프리카·중동 등지에서 얼마나 많은 생명이 이런 식으로 무지막지하게 달걀 세우기를 당했는지 모른다. 우리도 그 가운데 하나이다.

콜럼버스의 손에서 달걀이 지표면에 내리쳐지기까지의 거리는 짧고 그 힘은 개인에게 한정되어 있지만, 그 거리와 힘 속에는 제국주의라는 문명사적 탐욕이 압축되어 있었던 것이다.

김민웅, 〈콜럼버스여, 달걀값 물어내라〉, 시사저널, 1996

세비야 대성당은 이슬람교도들의 예배당인 모스크가 있던 자리에 세운 것이라 합니다. 98미터 높이로 우뚝 선 '히랄다' 탑이 이슬람 사원의 흔적이라고 합니다. 대성당은 건축 기간이 100년을 넘고 규모가 장엄하며 건물 곳곳에 새겨진 문양은 감탄을 자아낼 만합니다. 종탑에 오르니 탁 트인 시야로 세비야 시가지가 보이고 불어오는 바람도 좋습니다.

성당 안에는 콜럼버스의 무덤이 있는데, 가장 인기 있는 곳이라고 합니다. 과연 무덤 주변에서 사진을 찍은 사람들로 가득합니다. 한참을 기다린 뒤에야 무덤을 온전히 보았습니다. 네 명의 사람이 관을 어깨로 받치고 있는데, 콜럼버스가 살던 시대, 스페인에 있던 카스티야, 나바라, 아라곤, 레온 네 지역의 왕들이라고 하네요. 콜럼버스 유해는 이곳저곳을 떠돌다가 이곳 성당으로 왔는데, 유해를 두고 진위논쟁도

끊이지 않았다고 합니다. 유해가 진짜이든 가짜이든 스페인 사람들의 욕망이 투영된 것은 사실이지 않을까요? 스페인의 황금시대를 연 콜럼버스를 기리고자 한 마음이 있었을 테니까요. 같은 까닭으로 나는 콜럼버스의 무덤을 존중할 마음이 없습니다. 그 황금은 아메리카 대륙 원주민의 피로 바꾼 것일 테니까요.

성당의 외양을 더 관찰하려고 이곳저곳을 살피는데 돌풍이 불고 비가 쏟아지더니 천둥도 칩니다. 상가의 파라솔이 쓰러지고 의자도 나뒹굽니다. 택시를 타고 얼른 숙소로 돌아왔습니다. 성당에서 불순한 생각을 품은 탓일까요? 그래도 벗이 내어 준 숙제는 잘한 셈입니다.

세비아 성당 안에 있는 콜럼버스의 무덤

현대인의 족쇄, 시간
2024.02.17.

고미숙 선생의 책 '나비와 전사'에는 근대와 기차, 시간을 다룬 부분이 있습니다. 근대는 기차와 함께 왔으며, 마침내 우리의 삶을 기차로 만들었다고 했습니다. 시간은 돈이므로 속도는 미덕이 되었다고도 했습니다. 철도가 도착하는 시간을 통제하기 위해 표준시가 제정되었고, 지금 우리는 세계가 같은 시간 체계에 따라 살고 있는 것입니다. 해가 일찍 뜨는 바닷가 사람이나 늦게 뜨는 산골 사람이 같은 시간에 통제되기 시작한 것이지요.

표준화는 편리하고 통제와 계산에는 이로우나 삶의 다채로움을 사라지게 합니다. 술의 표준화는 날씨나 온도, 술통의 조건에 따라 다양해지는 풍미를 사라지게 하지요. 평가 방식의 표준화는 성적이 낮으면 부족하거나 문제가 있는 학생으로 만들어버립니다. 19살에 모두가 같은 지적 능력을 갖출 수 없으며 20살에 발휘될 수도 있습니다. 묻는 방식을 바꾸면 우열이 달라질 수도 있습니다. 고등학교 때 성적이 낮았던 학생이 대학에 가서 크게 성장하고 멋지게 삶을 가꾼 이들도 있습니다. 표준화는 개별적 존재를 살피지 못하게 하니 결국엔 다양성을 죽이게 됩니다.

한때는 속도의 상징이었던 열차(기차)를 타고 마드리드로 가고 있습니다. 일을 잊고 쉬어보자고 시작한 여행에서도 완벽하게 통제되고 있습니다. 다섯 시에 일어나 짐을 싸고 서둘러 나섰습니다. 나도 어쩔 수 없는, 불쌍한, 쫓기는 현대인인 셈입니다.

　파라도르(parador)는 스페인에서 역사적 가치가 있는 성이나 요새를 개조하여 휴양이나 숙박 시설로 이용하는 건물을 의미한다고 합니다. 대체로 풍광이 뛰어난 곳에 자리하고 있고요. 오늘 우리는 톨레도 파라도르(Parador de Toledo)에 짐을 풀었습니다. 방에 드니 톨레도 대성당과 시가지가 한눈에 들어옵니다. 어김없이 마을을 돌아나가는 강이 있으니, 타구스강입니다.

　낮 동안 톨레도 시가지와 타구스강이 보이는 절벽을 즐겼습니다. 점심은 '상하이 마마'란 중국집에서 '메뉴 델 디아(Menú del Día 오늘의 메뉴)'를 시켰는데, 맛있습니다. 진짜 맛있습니다. 해외여행에서 음식과 싸우던 내가 오늘은 평화 협정을 맺었다가 나중에는 동맹까지 맺었습니다. 딸들은 최고의 음식이 론다의 소꼬리찜에서 이것으로 바뀌었다고 합니다.

　한국에 있으면서도 곳곳의 숙박지와 음식점을 알려주는 벗이 함께합니다. 오늘 음식을 벗이 추천하였고 론다의 소꼬리찜도 마찬가지이며, 헤밍웨이 산책길을 가는 법도 벗이 알려주었습니다. 우리는 오늘, 음식과 경치를 먹느라 잠을 설칠지도 모르겠습니다.

철학과 가까운 인간의 행위, 여행
2024.02.17.

우리가 자신의 진정한 자아와 가장 잘 만날 수 있는 곳이 반드시 집은 아니다. 가구들은 자기들이 불변한다는 이유로 우리는 변할 수 없다고 주장한다. 가정적 환경은 우리를 일상생활 속의 나라는 인간, 본질적으로는 내가 아닐 수도 있는 인간에게 계속 묶어 두려고 한다. 호텔 방들 역시 정신의 습관에서 벗어날 비슷한 기회를 제공한다.

-알랭 드 보통, 『여행의 기술』

이번 가족 여행이 막바지로 가고 있습니다. 이제 하룻밤을 더 자고 나면 각자의 일상으로 돌아가야 합니다. 큰딸은 직장으로 돌아가 기획하고 회의하면서 자신을 소비하게 될 것입니다. 작은딸은 네덜란드로 돌아가 시험공부로 괴로움과 초조함으로 일주일을 보낼 것입니다. 아내는 마을로 돌아가 이 지구의 애인으로 살 것이고, 나도 학교로 돌아가 선생님들과 새 학년 준비로 남은 방학을 보낼 것입니다.

어젯밤에 우리는 생각과 느낌을 담는 게임을 했습니다. 카드를 나눠준 뒤 각자가 질문을 하거나 답을 하고, 가장 감동적이거나 인상적인 질문이나 대답을 한 이에게 카드를 주는 방식입니다. 가장 인상적인 장소를 말하기, 가장 맛있었던 음식 말하기, 우리가 한 가족이구나 하는 생각을 하게 된 적이 언제냐를 말하다가, 웃다가 우리는 모두 울었습니다. 아비와 어미가 아닌 삶도 있고, 딸이 아닌 존재로도 살고 있음을 알았습니다. 우리 각자가 느낀 바는 조금씩 달랐지만, 여행을 준비한 과정과 여행 중에 느끼는 서운함을 참고, 배려는 크게 표현하고, 분위기가 안 좋으면 춤을 춰서라도 달래주면서 잘 지내고 있다고, 그래서 고맙고, 미안하고, 사랑한다고.

　우리는 이렇게 성장합니다. 나는 철학 하는 행위에 가장 가까운 일이 여행이라고 믿습니다. 낯선 곳에다 자신을 온전히 두면 그전에 보지 못한 자신을 발견하게 됩니다. 애써 감추고 살았던 부끄러운 민낯, 오만함과 편견을 지닌 자신도 보게 되지요. 알랭 드 보통의 말처럼, '정신의 습관'에서 벗어날 기회를 얻는 게지요. 그래서 반성하며 좀 다르게 살아야지 하는 다짐도 합니다. 일상으로 돌아가면 금세 잊고 살것 같지만, 그래도 조금은 나은 삶을 살게 될 것임을 지난날 경험으로 압니다. 돌아가면 조금은 더 겸손하게, 더 부드럽게 사람을 만날 것이라 다짐합니다. 이번 여행을 통해 얻은 깨달음, 내가 그리 잘난 사람은 아니라는 생각을 품고 갈 테니까요.

　알랭 드 보통의 말처럼 비싼 비용을 치르고 지루한 비행을 견디며 여행하는 이유입니다. 그 대가로 나는 내 속을 많이 비우고 정리를 다시 합니다. 그러면 내 마음에 공간이 생겨서 새로운 것을 채울 기회를 얻습니다. 파라도르에서 내려 보이는 저 무수한 집들에도 불 켜진 방들이 있습니다. 누군가는 울고 누군가는 웃고 있을 저 방들도 우리가 사는 지구의 한 조각, 그 안에 있는 어느 지구인도 새로운 희망을 품고 집을 나서겠지요.

파라도르에서 내려 본 톨레도

톨레도를 돌아 흐르는 타구스강

여행을 마무리합니다.
2024.02.19.

　여행의 후유증이 큽니다. 내가 아니라도 세상은 굴러갈 것이라 믿었고, 빈자리는 크지 않아 누구라도 감당할 것이라 여겼는데, 돌아오니 내 몫은 오롯이 남아 있습니다. 며칠 동안 밀린 업무를 처리하고 이 사람 저 사람을 응대하느라 바빴지만, 내가 쓰일 곳이 있으니 얼마나 다행인가요. 아주 나중에 내가 돌아올 직장이 없고, 내가 없어도 풀이 자라는 일 말고는 아무런 일이 일어나지 않는다면 조금은 서운할 것 같습니다. 그래서 여행은 집이 가장 안전하고 편안하다는 것을 느끼게 하는 기회라고 했을까요?

　이제 나는 밭을 갈아야 합니다. 잘 가꿔진 밭에 거름을 주는 일도 해야 하고 때로는 묵정밭도 갈아엎어야 합니다. 이미 가꾼 것을 거둬야 오늘을 지탱할 수 있고, 새로이 가꾸고 시작해야 할 일도 많기 때문입니다.

　여행에서 깨달은 것 중 하나는 '이야기의 힘'입니다. 폐허가 된 알람브라가 세계적 여행지가 된 것은 어빙스톤(Washington Irving)의 『알람브라 궁전의 이야기(Tales of the Alhambra)』임을 압니다. 우리가 살아가는 세상에도 정보보다는 이야기가 넘쳤으면 좋겠습니다. 이순신의 바다도 이야기가 만들어지면 지금보다는 더 의미 있는 섬들이, 사람이 찾아드는 바다가 되겠지요.

일상이 소중하고 의미 있는 것임을 알게 된, 이 평범한 진리를 진리로 받으며 또 하루를 살아갑니다. 힘들고 지칠 때 우리들의 여행, 우리가 함께한 순간을 사진으로 펼쳐보며 고단함을 이길 것입니다.

안달루시아, 누가 어딜 찍어도 작품이 된다.

보내는 이

오유현

오유현   책을 읽기보다 한 문장 한 문장 소리 내어 말하는 모습을 좋아했고, 종
         이에 인쇄된 글자보다 이야기가 시각화된 영화를 좋아했던 시기를 지
         나 글자 자체가 주는 힘에 반해 글을 쓰기 시작했다.
         많은 상실과 뒤틀림을 경험하고 그럼에도 불구하고 살아가는 이를 위
         해 처음으로 글을 완성했다.

올록볼록 조그만 원형이 꽈배기 모양을 한 옛날 벽지. 하얀 벽지를 올려다보며 눈에서부터 관자놀이, 귀까지 번져가는 뜨거웠다 차갑게 식는 눈물을 느낀다. 우리 집도 아닌 독립한 지 얼마 되지 않은 엄마 아빠의 집이라는 걸 귓구멍이 축축해지면서 먼저 상기했다.

한쪽 코가 꽉 막혀 숨쉬기가 어려운 상황에 다 말라가는 목으로 숨을 내쉬고 들이마시길 반복하며 겨우 숨만 쉬고 있다. 들어줄 사람 없는 허공에 곡소리만 반복해서 내쉬며 눈알까지 뜨거워진 몸을 제대로 가누지 못한 채 일어났다. 목이 찢어질 것만 같은 기침을 두어 번 내뱉고 침대에서 일어났다.

"엄마."

엄마 아빠는 정년퇴직한 지 몇 해가 지난 중년기에 접어든 할머니 할아버지다. 평일엔 두 분이 집에 있기 마련인데 아무도 보이지 않았다. 어릴 적부터 살았던 작은 우리 집에 불이 켜진 곳은 아무 곳도 없었다. 차근차근 발을 떼어 부엌으로 가 물을 한 잔 따라 마셨다. 몸이 쉽게 식지 않는다는 게 느껴졌다.

어디 갔지.

속이 쓰리다. 속이 쓰리다기보단 그냥 아팠다. 어제 술을 마신 것도 아닌데 숙취처럼 멀미가 나고 몸이 천근만근 무거워 점점 시야가 낮아지더니 주저앉았다. 갑자기 서러워졌다. 나는 왜 이곳에서도 혼자 아파야만 하는가 하는 생각에 흐르던 눈물은 소리까지 꺼내왔고 이 작은 집이 내 울음소리로 가득 차 버렸다.

왜 아무도 없는 거야.

*

나는 몇 년 전부터 스마트폰 속 캘린더 대신 종이로 된 달력을 쓰기 시작했다. 스마트폰이 출시되기 전엔 장거리를 가야 하는 버스와 지하철에서 책을 읽었고 MP3에 좋아하는 노래를 오랜 고심 끝에 다운 받아 듣곤 했었다. 스마트폰이 출시되고 발전이 빠르게 일어난 끝에 요즘엔 누구나 어디서든 숏폼에만 집중하고 있다. 나 역시 그 속에서 살다 보니 현실에서도 온라인 속에서도 지루함만 느끼다 결국엔 아날로그로 돌아가기로 한 거였다.

3월 16일 생일.

매년 오는 생일이지만 신기하게도 매년 다른 설렘으로 다가온다. 올해가 막 시작한 거 같았는데 입춘도 막 지났다. 서울까진 봄이 더디게 오는 것 같았지만, 경남에선 가끔 벌써 매화 봉우리가 피어오른 곳도 있다 했다. 봄이 오는가 싶으면 그 아이의 생일이 온다. 올해 생일을 잘 보낼 수 있길.

세상에 태어나 나를 만나 함께 자라나는 10살의 아이. 귀여운 얼굴과 작은 몸집으로 이 세상을 잘 헤쳐나갈 수 있을까에 대한 걱정을 한 몸에 받다 평온한 얼굴로 꿈을 꾸고 있는 모습을 가만 내려다보면 내 목숨을 다 바쳐서라도 너를 꼭 지켜내겠다고 다짐하게 만드는 아이. 그런 아이가 걷기 시작하고 내 말을 알아듣기 시작하더니 말도 곧잘 해냈다. 하나씩 커 가는 모습이 어찌나 감격스럽던지 그 아이를 만나기 전과 후로 내 인생이 달라진 느낌이었다.

올해 생일엔 무슨 선물을 해주지.

생일까진 꼬박 한 달이나 남았지만, 10살짜리 여자아이가 무슨 선물을 좋아할까 인터넷에 접속해서 검색해 보았다. 장난감이라든지 인형 같은 것들과 이제 입학 시즌이니 새로운 필기구를 사줄까 고민이 들었다. 핸드폰을 집어넣고 나는 올해 새로 산 다이어리를 꺼내 들었다. '보다 생일 선물' 위클리 칸 중 오늘 날짜에 그렇게 써 놓고 글자를 한참 들여다보았다. 뭐가 좋을까.

내가 열 살일 때와 지금의 열 살은 너무 다르다. 오랜 시간이 지나지 않은 거 같은데도 말이다. 내가 열 살일 땐 어린애들은 핸드폰을 들고 다니지도 않았고 집마다 전화가 있던 시절이었다. 친구 집에 전화를 걸어 부모님이 받으시면 친구를 바꿔 달라고 명랑하게 말하던 시절이었다. 학교가 끝나면 학원보다도 운동장이나 놀이터에서 하릴없이 뛰어놀고 앉아서 쓸데없는 수다를 떨던 시절이었다. 요즘 애들은 뭘 하고 노나 몰라 하고 말하던 20대 시절. 우리 때는 낭만이 있었는데 하며 친구들과 웃기도 했었다. 요즘 애들은 핸드폰을 들여다보는 시간이 더 많겠지? 아니면 학원에 앉아있는 시간이 더 많을 거야.

핸드폰을 새로 바꿔줄까?

*

"보다야 학원에 꼭 가지 않아도 괜찮아. 학교에서 하는 공부만 열심히 해도 괜찮은데."

"근데 다른 애들은 다 학원에 다닌단 말이야. 나도 학원에 가고 싶어."

시대가 많이 바뀌었다곤 하지만 나는 초등학교 저학년밖에 되지 않는 아이에게 사교육을 미친 듯 강요하고 싶진 않았다. 또래의 다른 부모들에겐 그런 내 모습이 속 편하고 세상 물정 모르는 여자처럼 보였을지 몰라도 나는 강요하면 아이들은 더 빠르게 소진되고 결국 주저앉을지 모른다 생각하던 주의였고, 실제로 나도 내 뜻을 존중해주는 부모 밑에서 자랐기에 내 딸에게도 같은 길을 내어준 것이었다. 자식에게 강요하지 않아도 필요하면 스스로 찾아서 하게 되어있다. 그게 내 철칙이었다. 내가 그렇게 자라왔으니까.

"엄마 친구가 학원 다니는데 나도 학원 다닐까?"

"그래."

"엄마 친구가 과외받는다는데 나도 받아볼까? 나 학원보다는 과외가 더 잘 맞을 거 같은데."

"그래."

돌아보면 내 삶은 이런 식이었다. 엄마는 내 학업에 열성적인 학모는 아니었다. 아빠는 더욱이 그랬다. 그게 불만인 적은 단 한 번도 없었다. 나는 아무런 강요도 탄압도 받지 않은 채 어쩌면 방임에 가까운 육아 속에서 자라왔다. 그게 나를 외롭게 하지 않았고, 자주 친구들의 부러움을 샀을 정도였다. 그 어린 시절 여자아이라 못하게 하는 것도 없었고, 여자아이라 위험하다고 나무란 적도 없었다. 나는 그렇게 내 자식을 키우고 싶었다. 그래서 강요하지 않았다. 심지어 나는 집에서 일하고 있어서 보다를 학원으로 보내 시간을 때울 필요도 없었다. 하지만, 보통 맞벌이 가정으로 부모가 집보다 회사에 있는 가정이 더 많았고, 보다의 친구들도 그랬다. 그러한 이유로 학교가 끝난 이후 보다와 놀기 보다 학원을 다니는 친구들끼리 찢어져 학원에 가게 되었고 보다는 혼자 있는 시간이 길어 소외감을 느끼던 차였다. 그래서 나는 알겠다고 했다. 그렇게 보다를 학원에 보내게 되었다.

"엄마 나 오늘 학원에서 배운 거 학교에서 나왔다!"

보다는 배움을 재밌어하는 아이다. 학원에서 배운 게 학교에서 나왔을 때 또 그 반대였을 때 자신이 알고 있는 걸 인정받는 것을 좋아하는 아이였다. 저녁밥을 먹을 때 그 작은 입으로 종알종알 말을 이어갔다.

보다를 보고 있으면 마음이 풍족해졌다. 이 작은 아이가 어떻게 내게 왔을까. 정말로 행복이라는 게 이런 거구나 하면서 말이다.

보다가 학원에 다니기 시작한 지도 몇 달이 지났고, 초등학교 개학도 다가왔으니 아무래도 필통 따위가 좋으려나. 나는 보다 생일 선물이라 적은 바로 아래 필통이라고 적어두었다. 이건 아직 후보일 뿐이다.

아. 아니면 가방을 새로 바꿔주는 게 좋으려나.

필통 아래 바로 가방을 적었다. 그리고 핸드폰까지 이어 적어두었다.

보다는 나를 닮은 아이라 물욕이 많지 않다. 물건에 대한 욕심이 없는 것을 포함하여 떼를 쓰는 일이 없었다. 먹고 싶고, 하고 싶은 게 많지 않았고 원하는 게 명확히 존재했다. 처음으로 초등학교에 입학했을 땐 첫 아이고 요즘 세상엔 정보가 가장 큰 경제력이라며 부모들 사이에서 연락과 소통이 중요했다. 나도 사이에 섞여들어 학부모 단체방이나 모임에 종종 나가 얼굴을 비추기도 했고 학교 참관 수업엔 꼭 나가보곤 했다. 가끔은 아이들 생일파티나 약속에 부모들이 따라가야 한다면 아이는 아이끼리 부모는 부모끼리 모여 앉아 이야기를 던져댔다. 그럴 땐 요즘 자기네 아이가 꽂힌 게임이라던가 만화에 관해 이야기하며 사고 싶어서 한다며 많이 징징댄다 하는 이야기가 빠지지 않는 주제였다. 다들 못 사줄 정도의 형편은 아니었지만, 아이를 마냥 오냐오냐 키우지 못하는 이유와 금방 애정이 식어버려 찬밥 된 역사를 이유로 사주지 않는다면 작은 아이가 입을 내놓고 있어 골치가 썩는 다고 말하곤 했다. 나는 학모의 말을 듣다 고개를 돌려 보다는 모습을 보았었다. 활짝 핀 아이의 얼굴을 보니 마음까지 풍족해졌고 저 작은 아이가 요구하는 걸 모두 들어주고 싶단 욕구가 셈 솟았다. 그보다는 보다가 나에게 먼저 무언가를 요구한 적이 있는가를 고심해보았다. 짧은 시간 보다와의 함께한 시간을 머릿속으로 훑어보았지만 그렇게 삐칠 정도로 요구하고 실패한 기억은 없었다. 외동이라서 의젓하게 자라는 걸까 외동인데도 의젓한 아이를 걱정해야하는 걸까라는 고민 이 들었지만 금세 지우고 학모들과 이야기를 더 나누었던 기억이 있 다. 그런 보다에게 망가지지도 않았는데 새로운 필통이나 가방이 필 요할까 하는 생각이 들었다.

그래도 보다가 가장 필요로 하는 건 역시 핸드폰이겠지. 3개밖에 안 되는 후보지 중에 보다가 직접 원하는 건 핸드폰밖에 없으니 말 이야.

생일이니까 가지고 싶어서 하는 걸 사줘야지.

몇 없는 후보군에 줄을 쳐 지우고 핸드폰으로 마음을 굳혔다. 핸들 위에 얹어 놓고 빤히 바라보았던 다이어리를 접어 가방에 넣었다. 핸 드폰을 열어 확인해 보니 학원 마칠 시간이 다 되어서 차를 돌려 학원 앞으로 끌었다.

"엄마!"

"고생했네. 우리 딸."

"배고프다. 그치!"

"그러게 얼른 밥 먹으러 가야겠어. 오늘은 어땠어?"

"그냥 재미있었어. 오늘 학원에서 게임도 하고 그래서"

"진짜? 재밌었겠네."

"응. 엄마도 어릴 때 친구들이랑 게임 많이 했어?"

"엄마도 친구들이랑 게임도 하고 그랬지. 보다가 하는 게임이랑은 좀 다를 수도 있지만 말이야. 오늘 무슨 게임 했는데?"

"그냥 둥그렇게 앉아서 술래가 안경 쓴 사람하고 말하면 안경 쓴 애들끼리 일어나서 자리 바꾸는 그런 게임 했어."

"보다도 많이 뛰었어?"

"응. 그리고 나는 애들이 나 보면서 막 목걸이 한 사람, 흰 양말 신은 사람 그러면서 많이 불러줘서 진짜 많이 뛰었어. 그래서 더 재밌었어!"

"보다는 친구가 많구나!"

"그런 거 같아!"

나도 겪어온 시절이지만 아이의 삶은 새롭고 감탄스럽다. 아이가 보는 세상을 나에게 공유해준다는 것이 얼마나 감사한 일인지. 보다를 낳고 알았다. 우리 엄마도 이런 감정을 느꼈을까?

계절이 변한 것을 느끼는 나의 지표는 해다. 해가 빨리 지면 겨울이 찾아오는 것이고, 해가 느리게 지면 여름이 다가오는 것이다. 7시가 되어서도 완전히 깜깜해지지 않는 저녁 하늘. 이제야 해가 지고 남색 빛을 띠고 있는 하늘을 보며 보다와 함께 집으로 돌아왔다. 이제 진짜 겨울이 물러가는구나. 보다의 생일이 오는구나.

주차장에 주차하고는 집으로 올라갔다. 강서에 조금 치우쳐 있는 오래된 옛날 아파트. 보다는 차에서 폴짝 뛰어내려 자기만 한 가방을 등 뒤로 메고 가뿐하게 뛰어 아파트로 뛰어간다. 나는 고작 몇 걸음으로 뛰어가는 보다를 금방 따라잡아 같이 집으로 올라갔다. 오늘은 남편이 일찍 퇴근해 남편이 저녁을 차려주는 날이다. 보통은 내가 지키고 있거나 집만이 남겨져 어두운 날과 달리 오늘은 현관을 열자마자 환하게 새어 나오는 형광등 빛과 맛있는 냄새가 확 뻗어 나온다.

"아빠!"

보다는 금세 아빠에게로 달려간다.

"보다 왔네!"

남편도 지친 기색 하나 없이 보다를 번쩍 안아 올린다. 선한 눈매가 닮은 두 사람. 얼굴을 맞대고 오늘 하루는 어땠냐며 물어보며 닮은 눈으로 닮은 눈웃음을 지어본다.

"보다 손 먼저 씻어야지."

잔소리는 항상 나의 몫이다. 남편은 자상한 성격이라 집안일도 육아도 관여하며 나와 보다에게 관심을 끊지 않는 사람이다. 그런 성격 탓인지 하나밖에 없는 딸이 싫어할 만한 말을 하는 건 극도로 피하곤 한다. 보다에게 싫은 말이란 몇 개 없지만, 몇 개 없으니 그냥 하지 말자는 식이다. 가끔은 너무 아이를 싸고도는 게 아닐까 생각하며 걱정하지만 모든 부모가 그런 마음이 아닐까 싶어 이해하기도 한다. 그 자체도 싫지 않다. 아빠가 아이를 사랑하고, 아이가 아빠를 사랑하고, 내가 남편을 사랑하고, 남편이 나를 사랑하고 얼마나 이상적인가 하는 생각이 들면서 그래 이렇게 살아가는 게 나쁘지만은 않지 라는 생각도 한다.

보다는 아빠 품에서 떨어져 화장실로 발을 보챈다. 작은 키로 성인 평균에 맞춰 만들어진 세면대에 매달려 비누로 거품 칠을 해 손을 열심히 닦는다. 보다가 좋아하는 하늘색에 맞춰 바꾼 수건에 손에 물기를 닦고 큰 소리로 다 닦았어요를 말하면서 보다는 화장실에서 튀어나왔다. 그 뒤에 내가 화장실에 들어가서 손을 씻고 세수를 했다. 저녁이 다 되었다고 말하는 남편 말에 옷만 갈아입고 가겠다고 대답을 했다.

식탁에 올려진 구성은 밥과 아욱국, 시금치나물과 숙주나물, 소고기 장조림과 갈치조림과 구이였다. 남편과 보다가 좋아하는 생선 요리가 메인으로 나와 있는 저녁 식탁. 보다는 한껏 상기된 얼굴로 먼저 식탁에 앉아 나와 남편을 기다리고 있었다.

"얼른 밥 먹자."
"그래. 보다 배 많이 고팠구나."
"응 배가 좀 고팠는데 갈치 보니까 갑자기 배가 확 고파졌어!"
"보다는 아빠를 닮아서 뭐든 잘 먹어 그치"
"맞아!"

작은 4인 식탁 앞에 앉은 세 사람의 음성이 오가며 부딪힌다. 이상하리만큼 신나 보이는 보다가 귀엽기도 하고 웃기기도 하면서 저녁 식사가 시작되었다. 보다는 아빠한테 다시 오늘 학원에서 게임을 한 이야기를 하고, 내 말을 빌려 자기는 친구가 많다고 말했다. 말을 놓치지 않고 다 담아내고 기억하는 보다가 신기했다. 그렇기에 보다가 조금 더 어렸을 땐 더 많은 이야기를 들려주었다. 아이의 능력이 신기한 것도 있었고, 한계를 시험해보고 싶은 생각도 있었다. 아직도 클 날이 한참이나 남은 아이지만, 한두 살 더 먹었다고 보다 앞에서 말을 가리기 시작했다. 어릴 적에 신남을 주체하지 못하고 말하던 내가 자제하기 시작했다. 한두 살 차이지만 보다가 성장하는 동안 나도 성장했으니 말이다.

보다는 한참 동안 이야기를 이어 하다 아빠는 어땠는지도 물었다.

"아빠 회사는 어땠어?"

"아빠?"

"응"

"아빠 회사는 매일 똑같지. 아빠는 매일 컴퓨터 앞에서 컴퓨터로 일을 하거든. 사람들이랑 얘기도 하고, 같이 일을 해야 할 때도 있어. 가끔 중요한 날이 있는데 그런 날에는 컴퓨터보단 사람들이랑 더 많이 얼굴을 보곤 해. 보다는 아빠 일하는 데 가면 어떨 거 같아?"

"재미없을 거 같아. 나는 친구들이랑 노는 게 더 좋단 말이야. 컴퓨터만 보면 재미없잖아."

"맞아. 컴퓨터만 보고 있으면 아빠도 재미없더라."

"아빠는 혼자 집에 오지?"

"그렇지? 아빠는 일이 끝나면 혼자 집에 오지."

"나도 그러고 싶어."

보다의 말에 놀랐다. 혼자 집에 오고 싶다는 말에만 놀란 게 아니라 아빠 회사에 관해서 물어본 것부터 결론적으론 자신이 하고 싶은 말을 끌어온 데에서 놀람을 감출 수가 없었다. 어렸을 적 나도 종종 엄마가 상상하지도 못한 말들을 내뱉었다고 했는데 지금 보다가 그러는 거 같다.

어떻게 저렇게 말할 수 있지?

신기함과 놀라움 그리고 아이의 또 다른 성장에 대한 기쁨을 최대한 억누르고 보다에게 말을 건넸다.

"왜 집에 혼자 오고 싶어? 학원 끝나고 말하는 거 맞지?"

"응. 학원 끝나고 맞아. 엄마가 매일 데리러 오잖아."

"맞지. 보다 학원 끝나는 시간 맞춰서 엄마가 차로도 마중 가고, 걸어서도 가고 했지. 차 타고 오면 편하잖아. 안 그래? 가끔 장 보는 것도 엄마는 너무 재미있었는데."

"나도 차 타고 가면 편하고, 엄마랑 장 보는 것도 엄청 재미있어! 근데 친구들은 다들 혼자서 집에 가. 가끔은 친구들끼리 놀기도 하고, 나는 못하잖아. 엄마가 매일 데리러 오면. 그러니까 나도 집에 혼자 가고 싶어."

열 살짜리 아이에게서 강단을 느꼈다. 또랑또랑 말을 하고 굳은 의지가 담긴 눈으로 대답을 기다리며 내 입을 가만 바라보고 있는 보다에게 나는 그러라고 말했다.

"대신 안전하게 집에 와야 해 알겠지? 너무 늦지 말고, 차 조심하고."

"걱정하지 마! 친구들도 다 혼자 집에서 가니까. 나도 잘할 수 있어."

"그럼 우리 보다는 씩씩하니까."

남편도 대화에 끼어서 아빠도 허락한다는 뉘앙스를 풍겼다.

저녁 식사는 이후에도 혼자 보낸 시간을 가족에게 공유하며 따뜻하고 풍성한 자리를 만들었다. 잘 먹었습니다. 라고 소리치며 식탁에서 일어난 보다는 아빠 손을 잡아끌고 거실 소파에 앉아 TV를 틀었고, 자연스레 나는 설거지를 했다. 등 뒤에서 흘러나오는 TV 소리와 남편과 보다의 웃음소리가 지루하지 않게 만들어주었고, 얼른 설거지를 끝낸 이후 둘의 틈에 끼어들어 함께 밤을 보냈다.

"보다야 잘 자."
"우리 보다 오늘도 고생 많았네. 잘 자. 우리 딸"
"엄마, 아빠도 잘 자!"

침대에 누운 보다를 내려다보며 우리는 내일을 기약하고 방 밖으로 나왔다. 고작 10시밖에 되지 않았지만, 아이와 어른의 시간은 다르니 보다는 먼저 꿈나라로 향했고, 부부의 시간은 이제야 시작이었다.

"보다가 혼자 집에 잘 올 수 있겠지?"
"그럼 당연하지. 자기도 10살에 혼자 잘 지냈다며."
"맞아. 그랬지."

보다 앞에선 누구보다 보다를 믿고, 응원하는 엄마의 모습을 보여주었지만, 남편 앞에선 그저 한없이 걱정 많은 엄마였기에 보다의 내일이 걱정되었다. 그리 늦은 시간도 아니고, 매일 다니던 길이니 괜찮겠지만.

"여보. 걱정할 거 없어. 보다가 학교에서 사고 치는 애도 아니고. 보다 친구들도 다 혼자 집에 간다며. 친구들이랑 같이 올 테니까 걱정하지 마."

남편은 웃으며 말했다. 남편의 웃음에 내 걱정도 줄어들었고 보다를 믿어보자 했다. 그리고 보다의 성장에 또 다른 즐거움으로 가득 차 덩달아 웃음이 났다.

*

초인종이 울리며 인터폰 너머로 보다의 머리가 조금 보였다. 복도에 켜진 등이 보다의 정수리를 환하게 밝혀주었다. 그 모습을 보니 웃음이 나왔고, 얼른 현관으로 달려가 문을 열어주었다.

"다녀왔습니다."

저녁 시간이 다 되어서야 보다가 집에 왔다. 조금 늦은 게 아닌가 걱정했지만, 혼자서 집에 잘 돌아왔으니 늦은 거 아니냐는 말보다 고생 많았네라는 말이 더 적절한 거 같아 '고생 많았네. 혼자서도 잘 왔구나. 우리 보다. 벌써 다 큰 거 아니야?'라며 칭찬했다. 보다는 해맑게 웃어 잔뜩 튀어나온 볼을 발그레 붉히며 나 잘 왔지! 라고 큰 소리 내어 말했다.

"아빠는?"

"아빠도 퇴근해서 집에 있지."

"근데 왜 아빠는 나왔는데 안 나와봐?"

"방금 퇴근해서 씻고 있어. 보다도 얼른 들어가서 손 씻고 나와. 밥 먹어야지."

"내일은 아빠랑 같이 나와서 반겨줘야 해!"

"알겠어."

어제저녁과 상이하게 다르지 않은 상을 세 가족이 둘러앉아 저녁 식사를 시작했다. 오늘 대화 주제는 보다의 귀갓길이었다. 남편과 나는 궁금함에 간질간질한 입을 꾹꾹 누르고 보다를 보았다. 우리 입보다 더 간질간질해 보이는 보다는 몸을 베베 꼬며 주체할 수 없는 신남을 표현하고 있었다.

"보다야 집 오는 길은 어땠어?"

남편이 먼저 운을 뗐다. 보다는 엄마, 아빠가 먼저 물어봐 주길 기다리고 있었던 모양이다. 남편의 한 마디에 봇물 터지듯 터져 나오는 이야기는 상 위에 차려진 반찬들보다 더욱 거대해서 보다의 이야기만으로도 배가 부르는 것 같았다.

"오늘 학원 끝나고 내가 친구들한테 같이 집에 가자고 하니까 다

놀랐어!"

"왜?"

"오늘은 엄마가 안 왔냐고 물어보더라고."

그 말에 나는 살짝 죄책감을 느꼈다. 내 욕심이 아이에게 억압이 되었으리란 생각이 들었기 때문이다. 가슴이 욱신욱신 쑤시듯 아팠지만 웃음을 잃지 않고 계속 보다의 이야기를 들었다.

"그래서 보다가 어떻게 했어?"

"안 왔다고 그랬지! 이제부터 나도 혼자 집에 가기로 했다고 했어. 그러니까 같이 가자고."

"그랬더니 친구들은 뭐라고 해?"

"친구들이 재밌겠다고 했어. 원래 엄마가 차 타고 데리러 오는 날엔 내가 많이 부럽기도 했대. 자기도 엄마가 데리러 오면 좋겠다고 생각했었대. 그리고 가끔은 같이 집에 가고 싶다고 생각도 했었대. 재밌겠다고 하더라고. 그래서 수아랑 유빈이랑 같이 왔어."

수아랑 유빈이는 근처 아파트 단지에 사는 보다의 친구들이다. 1학년 때 같은 반이었던 수아와 2학년 때 같은 반이 되었던 유빈이는 나도 몇 번 얼굴을 봐서 아는 친구들이다. 보다와 비슷한 키에 명랑한 성격을 가진 아이들이다. 같이 집에 오는 친구가 근처에 살고 내가 아는 친구라서 다행이라는 생각이 들었다.

그 순간부터 마음이 놓였다. 오늘 나는 집에서 주문 들어온 향초와 비누를 만들고 새로운 디자인을 고안하고, 떨어진 재료를 주문했다. 널어둔 빨래도 개고, 청소기도 돌렸다. 평소대로 할 일을 다 마치고 시계를 보니 보다를 데리러 나갈 시간이었다. 하지만, 오늘부터는 혼자 오기로 했으니 밖으로 나갈 이유가 없어 소파에 앉아있었다. 걱정에 휩싸여 시계만 쏘아보고 있었던 몇 시간 전이 전부 꿈인 듯 느껴졌다. 보다에겐 보호자가 필요하겠지만, 집에 오는 길마저 보호하려고 들었던 건 필요가 아닌 강요였을 수도 있겠단 생각이 들었고, 딸의 성장이 결과로 나온 거 같아 안심되었다.

"엄마. 엄마는 봄이 제일 좋다고 했지?"
"맞아. 엄마는 봄이 제일 좋아. 따뜻해지고 꽃도 피잖아. 그리고 봄에 보다가 태어났고."
"이제 봄이 오나 봐! 오늘 집 오는 길에 벚꽃 집이 잔뜩 자랐어."

보다는 꽃봉오리를 아직 꽃이 잠에서 깨어나는 집이라고 생각해 꽃집이라 말했다. 그 말을 시작하며 보다가 집에 왜 늦게 도착했는지 경위를 알게 됐다. 하늘을 올려보다 나무에 달린 꽃집들을 보고 엄마가 봄을 좋아한다고 말해주었다고 했다. 친구들도 엄마와 아빠 그리고 자기가 좋아하는 계절에 관한 이야기를 잔뜩 말했다고 했다. 바다가 좋아 여름을 좋아하는 수아와 눈사람을 좋아해 겨울이 좋다는 유빈이. 우리 보다는 알록달록한 모든 계절이 좋다고 말했다 했다. 몇 발

더 걷다가 학원 근처 식당에서 키우는 고양이랑 마주쳐 고양이를 만져주었다고 고양이랑 넷이 쭈그려 앉아 고양이 이름을 마음대로 지어보고 고양이가 좋은지 강아지가 좋은지 자기들끼리 토론을 했다고 한다. 결론은 엄마, 아빠가 안 된다고 해서 못 키운다는 거였지만 언젠간 만날 자신들의 동물 동생을 생각하며 이름을 지었다고 했다.

계속 집에 걸어오다 친구가 주머니에서 천 원짜리 두 장이 있다는 사실을 깨닫고 편의점에도 들렀다 했다. 곧 저녁 시간이라 군것질을 하면 안 된다는 걸 알았지만, 이미 둘은 몇 번이고 몰래 과자를 사 먹은 적이 있다고 말하면서 엄마·아빠한테 비밀로 하면 모른다며 셋이서 2+1 초콜릿 우유를 사서 나눠 마시고 왔다고 했다. 그러면서 '엄마, 아빠. 이건 내가 특별히 말해준 거니까. 절대로 수아랑 유빈이 엄마, 아빠한테 말하면 안 돼.'라고 덧붙이기도 했다. 그렇게 티 없이 해맑고 순수한 아이를 어떻게 나무랄 수 있을까. 우리는 아이가 들려주는 이야기를 머릿속으로 그려내며 보다의 귀갓길을 상상했다.

*

더디지만 봄이 오고 있어 창밖은 많이 어둡지 않았다. 보다가 혼자서 집에 온 지도 일주일이 훌쩍 지났다. 처음 하루 이틀은 지나치게 늦는다 싶었는데 이후엔 어디로 세는 일 없이 집으로 곧장 잘 왔다. 학원이 끝나고 곧바로 집에 온다면 벌써 문을 열고 들어올 시간이 지났는데도 집에 초인종이 울리지 않았다. 하늘이 까맣지 않으니 이제 곧 올 거라고 생각했다. 5분이 지나고 10분이 지나서야 이렇게 늦은적이 있었나 하는 생각에 기분 나쁜 불쾌감이 위를 짓누르는 듯했다.

"여보. 보다 너무 늦는 거 아니야?"
"처음 집에 온 날도 좀 늦었잖아. 오늘 해가 늦게 져서 친구들이랑 더 놀다 오고 싶은가 보지. 너무 걱정하지 마."
"그래도 그렇지. 학원 끝나는지도 한참이잖아."
"괜찮아. 보다 이제 곧 올 거야."

이미 저녁상은 다 차려졌고, 차갑게 식어가는 밥만 보고 있었다. 집이 덥지도 않은데 손에 자꾸만 땀이 차서 손을 몇 차례 씻었다. 불안과 걱정이 찬물에 같이 씻겨 가길 바라면서. 손에 물기를 닦고 식탁이 아닌 소파에 앉아 남편과 TV를 보았다. 보다가 좋아하는 애니메이션을 틀어놓고 보다를 기다렸다.

보다가 언제쯤 오려나. 배고플 텐데.

보다는 집에 오면 꼭 초인종을 눌렀다. 도어락에 손이 닿을 만큼 키가 컸는데도 불구하고 초인종을 누르는 걸 더 좋아했다. 엄마 아빠가 문을 열고 나와 반겨주는 게 즐겁다고 했다. 근데 초인종이 아니라 남편 핸드폰이 울렸다. 꺼져있던 화면이 밝아지면서 뜬 수신자는 '우리 딸'이었다.

"여보세요?"

평소 통화음량을 끝까지 키워두던 남편 핸드폰에서 새어 나오는 목소리는 어린 여자아이가 아닌 남편만큼은 나이가 든 남자 목소리였다. 수신자를 보고 보다가 다 왔나보다 생각하고 자리에서 일어났던 나는 남편 쪽으로 몸을 돌렸다. 선크림을 모르고 살아 어둡기만 하던 남편 얼굴이 사색으로 변하는 걸 눈으로 보았고 그때부터 귀가 멍해져 아무 소리도 들리지 않았지만 좋지 않은 예감에 눈물부터 흐르기 시작했다.

"경아야. 보다 사고 났대."
"뭐라고?"
"경아야. 보다가. 차에 치였대."
"어?"

남편이 흐릿하게 보였다. 귀는 먹먹해지고 순간 세상이 까맣게 꺼졌다.

손에 핸드폰만 쥔 채 남편 손에 이끌려 집을 빠져나왔다. 나가려고 하는 상체와 속도를 못 따라가는 하체가 따로 놀아 넘어진 나를 남편이 일으켜 함께 차로 뛰어갔다. 차에 올라타 병원으로 향했다. 퇴근 시간이 지나 병원 가는 길이 막히지 않았다. 신호등을 빠르게 지나치고 보다가 보았던 꽃집이 잔뜩 매달려있는 나무들도 빠르게 흘려보냈다. 남편과 나는 아무런 대화도 하지 않았지만 둘 다 마음속으로 빌었다. 보다가 크게 다치지 않았길. 의사인지 간호사인지 모를 사람이 전화를 걸었던 건 보다가 혼날까 봐 걱정하고 있기 때문이길. 제발 보다가 그 옆에서 조금까진 무릎을 바라보며 앉아있길 바랐다.

병원에 주차하고 서둘러 응급실로 들어갔다. 병상에 누워있는 사람들과 앉아있는 사람들 사이로 뛰어다니는 간호사와 의사들이 보였고, 그중 한 명을 붙잡고서 딸 아이가 사고가 났다는 전화를 받고 왔다. 딸이 어디 있는지 아느냐 물었더니 난처한 표정을 지으며 병상 하나를 가르쳤다.

"저기 초등학생으로 보이는 여자아이가 교통사고가 나서 들어왔어요. 저쪽으로 가보세요."

간호사 말을 듣고 곧장 달려가 보았다. 다 오픈된 다른 병상과 다르게 폐쇄된 병상이 하나 있었다. 침대에 누워있는 보다는 엄마, 아빠가 왔는데 반가워하지도 않고, 우리가 왔는지 모른 채 누워있었다. 의사들과 구급대원들이 붙어 작은 몸이 다 부서지도록 가슴을 압박하고 있는 장면이 보였고 보다는 아프다는 말도 하지 않고 압박에 몸이 들썩거리기만 했다. 자신의 힘으로는 움직일 수 없는 것처럼. 아이의 부모라고 말을 하고 그 모습을 지켜보며 무능함을 느꼈다.

흔들리는 보다의 몸과 급박하게 아이의 가슴을 누르고 있는 의사를 보며 알았다. 보다는 지금 숨을 쉬지 않는다는 걸.

제발 숨 쉬어. 제발. 보다야.

눈물은 하염없이 흘러 옷까지 축축해졌고 가쁜 숨을 몰아쉬며 어지러움을 느꼈다. 곡소리라도 내면 보다가 정말 죽어버릴까 봐 소리 내어 울지도 못했다. 남편을 살펴볼 틈도 없이 온몸에 힘을 주어 보다에게 닿길 바랐다. 아이에게 엄마는 위대한 존재니까. 내가 주는 힘을 보다가 느끼면 일어날 수 있지 않을까 하는 소망을 담아서. 의사가 보다의 가슴을 누르면 내 가슴도 짓눌리는 것 같았고, 압박이 풀리면 겨우 나도 숨을 쉴 수 있었다. 의사가 지금 처치를 하고 있으니까 그리고 보다는 아직 살아갈 날이 많으니까 곧 일어나겠지. 그래서 여기까지 온 우리를 보며 웃어주겠지. 우리는 아이에게 무슨 일이 있었는지 경위를 듣고 안심하고 보다를 안아줄 수 있겠지. 한동안 약을 먹거나 병원에 와서 치료를 받아야 할 수도 있지만 우린 같이 집으로 돌아가 차려놓은 밥을 먹고 보다의 작은 입이 쉴 새 없이 하는 말을 반찬 삼아 풍족하게 살아가겠지 생각했다. 그래야만 한다.

"2024년 2월 27일 오후 8시 42분경에 사망선고를 내리도록 하겠습니다."

얼마 있지 않았는데 의사가 사망선고를 내렸다. 말 그대로 사망선고. 그건 보다만을 향한 사망선고가 아니라 우리 부부를 향한 사망선고이기도 했다. 눈에선 눈물이 나고 코에서 콧물이 흐르고 손과 옷이 전부 축축해져 물속에 빠져버린 것만 같았는데 의사는 건조한 말씨로 말을 했다. 온몸에 힘이 풀려 그 자리에 주저앉았다. 아무런 대꾸도 할 수 없어 계속해서 울었다.

"경아야!"

왜 남편은 나를 부르는 걸까. 보다를. 우리 보다를 불러주지.

*

눈을 감은 기억도 없는데 천장을 마주한 채 눈을 떴다. 남편의 말로는 내가 쓰러졌다고 한다. 급하게 베드로 옮겼다고. 다행히 얼마 지나지 않아 일어나긴 했지만. 남편은 일어난 내게 보다 사고에 대해 간략하게 말해주었다. 학원은 학교 근처에 있어 학원 앞 도로도 어린이 보호구역이었다. 보다는 신호가 바뀐 걸 보고 횡단보도를 건넜는데 제한속도도 지키지 않고 신호도 무시한 차가 보다를 쳤다고 말했다. 음주운전인가 생각했지만, 알코올 측정할 때 아무것도 나오지 않았다고 졸음운전으로 예상된다고 말했다. 가슴이 비통했다. 잘못해도 죽지 않는 사람이 있는데 죄를 짓지도 않은 보다는 죽었다. 죄를 지어도 우리가 더 많이 지었을 텐데. 벌을 보다가. 아니 우리가 받게 된 거라고 생각이 들었다.

보다의 사고, 병원, 죽음 그리고 장례식까지 어떻게 흘러가는지도 몰랐다. 2024년 2월 27일 8시 42분에 내 시간은 멈춰버렸다. 지금까지 세상을 살아오며 사용하던 내 시계가 고장 나 앞으로 흘러가지 않는다.

보다는 사고가 난 직후 바로 병원으로 이송되었다고 했다. 숨이 꺼져가는 보다를 보고 신고를 하고 구급차가 와 작은 보다를 실어가는 동안 점점 생명의 불씨는 작아져 갔다. 병원으로 이송되어 의사가 작은 생명을 살려보고자 노력했지만, 불씨는 우리가 보는 앞에서 전소되었다. 아직 세상을 다 그려보지도 못한 보다가. 세상엔 고작 집과 부모, 친구 몇 명이 전부일 보다가 아무도 보지 못한 채 모르는 사람들 사이에서 세상에 막을 내렸다. 병원에서 직접 전화가 온 이유는 평소 떼쓰는 법이라곤 모르던 아이가 처음으로 요구한 핸드폰이 보다의 품속에서 망가지지 않고 살아있었기 때문이었다. 핸드폰을 사 달라고 작은 입으로 투정을 부리기도 하고 작은 몸으로 우리에게 등지고 앉기도 했었다. 요즘엔 키즈락 어플도 잘 되어있고, 친구 몇 명도 핸드폰을 쓴다고 했지만, 너무 이른감도 있었을 뿐더러 처음부터 좋은 핸드폰을 사주는 건 아이 교육에도 안 좋을 수 있단 의논 끝에 우리가 썼었던 옛날 핸드폰 하나를 살려 아이가 쓸 수 있게 해주었다. 일 년간 망가뜨리지 않고, 욕심내지 않고 사용하면 바꾸어주겠단 약속을 하고선. 요즘 핸드폰과 달리 내구성이 좋던 옛날 핸드폰이 보다의 품속에서 살아있었다. 비밀번호 따위 걸어놓지 않았던 해맑은 아이였기에 우리 부부에게 바로 전화가 왔다.

나는 강인한 부모가 되겠다 다짐한 기억이 난다. 바람 앞 촛불처럼 곧 꺼질 것 같은 부모를 보며 자라왔기에 나는 든든한 지붕 같은 엄마가 되고 싶었는데 그러지 못했다. 버팀목의 역할은 남편이 해주었다. 보다 영안실 그리고 장례식까지 전부 남편이 아빠로서 남편으로서 집안의 가장 역할을 해주었다. 필름이 끊긴 듯 기억의 조각조각들이 머릿속에 흩뿌려져 있다. 넋이 반쯤 빠진 채 병원으로 달려간 이후의 또렷한 기억은 보다의 영정사진이다. 초등학교 입학을 기념으로 찍은 한쪽 앞니가 빠져 아직 다 나지 않은 미소에 구멍이 나 있는 얼굴을 한 보다가 해맑게 웃는 모습이 검은 액자 속에 환하게 걸려있었다. 2년이란 시간이 아이들에게 얼마나 크던지 사진 속보다는 지금보다도 훨씬 앳돼 보였다.

마흔도 되지 않은 나이에 장례식을 찾을 일은 많지 않았다. 친구의 죽음도 가족의 죽음도 없었기에 상주복을 입은 나는 잘못 초대된 장소에 온 사람처럼 어색하게 서 있었다. 현실이 아닌 감각으로 있다가 보다의 사진을 보면 현실이 나를 무겁게 짓눌렀다. 우린 아이를 잃었다. 나는 나의 숨을, 생명을 잃어버렸다.

현실과 비현실을 오가며 겨우 자리를 지키고 있는데 장례식장 앞이 조금 소란스러워졌다. 작게 소곤대는 소리가 선명히 들렸다. '애들이 여길 뭐하러 왔대.', '친구한테 인사하러 왔겠지.', '그래도 그렇지. 안 그래도 옆에 애가 죽어 들어와서 기분도 별로인데. 애들까지 오면 어떡해. 부모들은 생각도 없나?'

옆 빈소 조문객들인 것 같았다. 죽음을 추모하고 애도하는 것만으로도 충분할 텐데 우리 보다에 대해 수군거리며 좋지 않은 눈빛을 보내던 눈빛이 생각났다. 우리도 애를 잃고 싶어 잃은 게 아닌데. 왜 사람을 더욱 비통하게 만드는지. 나도 보다를 따라가고 싶다는 생각을 하고 있던 차였다.

"어머니."

아이를 잃었다는 슬픔으로도 벅찬데 내 아이의 죽음을 조롱하는 이들의 말을 듣고 원통함으로 가득 찬 가슴을 부여잡고 울었다. 소리를 내어 울었다. 온몸에 있는 수분이 다 빠져나갈 정도로 울었고, 눈물이 나를 덮칠 땐 익사 당하는 기분이었다. 그때 담임선생님이 오셨다. 뒤엔 수아와 유빈이를 비롯해 얼굴이 익숙한 보다의 반 친구들이 검은색 옷을 입고 줄을 서 있었다. 아이도 슬픔이란 걸 안다고 느껴질 정도로 침울한 얼굴을 하고 다들 인사를 꾸벅했다.

아이들이 와서 소란스러웠구나.

어쩌다 이런 곳까지 오게 되었는지 고작 10살밖에 안 되는 애들이 세상 속에서 사랑하는 사람을 잃는 기분을 느껴야 한다니 그 사실이 참 가여웠다. 담임선생님과 대표로 와준 학부모들이 위로의 말을 건넸지만, 귀에 들어오는 말은 없었다. 어른들이 분명 말렸겠지만, 친구의 마지막 길을 작별하고 싶어 고집을 부린 게 틀림없었다. 검은색 티와 바지를 입고 양말까지 검은색으로 맞춰 신은 아이들이 한 명 한 명 보다에게 꽃을 건네고 눈물을 흘렸다. 나에게 무슨 말을 건네야 할지 마땅한 말을 찾지 못한 아이들은 나와 남편 앞으로 와 그렁그렁한 눈물을 눈 안에 가둬두고 우리를 안아주었다. 내 배꼽까지 키가 큰 아이들을 내려다보며 눈물을 흘렸다. 내 다리를 엉성하지만 힘주어 안아주는 아이들을 내 품에 안고 소리 죽여 울었다. 와줘서 고맙다는 말도 빼먹지 않고서.

아이들끼리 접객실에 모여 앉아 소리 없이 울고 아무 말 않고 있다가 담임선생님과 학부모들의 권유로 집으로 돌아갔다. 아마 우리 부부를 위한 배려였을 것이다. 보다와 같은 아이들을 보고 있으면 마음이 더 괴로우리라 생각했던 거 같다. 아이들이 가고 이후에 언니와 형부, 이모들과 삼촌들도 와주었다. 다 같이 슬퍼해 주고 보다가 가는 길이 외롭지 않게 자리를 지켜주었다. 보다를 사랑해주던 사람들이 전부 왔다 가니 장례식이 끝났다.

보다의 화장은 차마 볼 자신이 없어 보지 못 했다. 자식을 불구덩이로 집어넣어야 하는 심정을 감히 상상이나 할 수 있는가. 내 배꼽에 닿을 만큼 컸던 아이는 내가 가볍게 들어 품 안에 안을 정도로 작아져서 돌아왔다. 갓 태어났던 때보다 더 작아져서 다시 나의 품으로 돌아왔다. 우리는 처음 보다를 안고 집으로 돌아가던 충만함과 달리 허망함만을 느끼며 집으로 돌아갔다.

납골당에 바로 보다를 보낼 수 없어 유골함을 집으로 가져왔다. 아이는 부모와 함께 있어야 하니까. 남편과 상의한 끝에 내린 결론이었다. 이 집에서 보다가 가장 좋아하던 베란다에 보다가 편히 있을 수 있도록 해주었다. 자기는 아직 키가 작아서 세상이 너무 낮다며 베란다에서는 세상을 높게 볼 수 있다며 좋아하던 장소였다. 베란다에 매달려 계절이 변하는 걸 알려주었다. 봄이 오면 꽃이 피는 걸 가장 먼저 알려주고, 여름이 오면 매미가 울기 시작한다 알려주었다. 가을이 되어 단풍나무와 은행나무가 익어가면 나무색이 바뀌었다가 말해주고, 겨울이 오면 눈이 내린다고 보채던 아이였다. 그런 보다가 올해도 꽃이 피는지 보길 바라며 베란다에 두었다.

*

생명이 피어나는 계절은 다가오고 있는데 집은 그때부터 온기를 잃었다. 나 역시도 기운이 나지 않아 비누와 캔들을 팔던 홈페이지에 공지를 올려두고 며칠간 아무런 주문도 받지 않았다. 침대를 벗어날 생각 없이 시간을 보냈다. 아침에 아이를 깨울 일도, 점심마다 뭘 차려야 할지 고민할 필요도 하루를 바쁘게 지내고 돌아올 아이를 기다릴 일도 없어졌다. 그저 눈을 뜨면 먼저 깨어있는 해를 보고 까무룩 지는 해를 보는 하루가 연속되었다. 남편의 삶도 크게 다르지 않았다. 보다의 장례를 치르는 동안 회사에 소문이 났다고 했다. 회계팀 한 과장님 딸아이가 교통사고를 당해 죽었다고. 얼마 살지도 않은 아이가 죽었다니 안 됐다는 말이 남편 없는 회사를 가득 메웠다고 했다. 남편이 돌아가고 나서도 크게 달라지지 않았다. 장례식에 오지 못한 동료들은 남편을 찾아와 심심한 위로를 건넸고 그 끝엔 어색한 미소가 붙었다고 했다. 보다를 잊어선 안 되고, 보다를 잊을 일도 없지만, 남편이 마음을 추스를 새도 없이 주변에서 자꾸 보다의 죽음을 상기시킨다고 했다. 고약한 마음에서 나오는 것이 아니라 아이를 키우거나 사랑하는 누군가를 먼저 보내고 남겨진 이들이 진심으로 보낸 위로지만 남편은 그 시간이 버겁다고 말했다. 남편은 회사와 집만 오갔다. 가끔은 방황하다 오는 날도 있었지만 대개 집에 와 함께했다. 남편이 오면 같이 울었고 오지 않으면 혼자서 울었다. 이 집엔 나와 남편 둘만 남았다. 남겨졌다기보다 원래로 돌아갔다고 생각하는 편이 마음이 더 편할까. 보다를 만나기 전에 나는 남편과 둘이었으니까. 우린 오랜 시간 기분 좋은 꿈을 꿨다고 생각하면 편할까 싶었다. 하지만, 이 집 곳곳엔 보다의 흔적이 가득했다. 베란다에 매달려있던 보다, 식탁에 앉아서 밥을 보채던 보다, 부엌에 따라 들어와 상 차리는 걸 도와주던 보다, 보다가 그린 그림들이 현관과 냉장고에 여러 개 붙어 있고, 유치원을 다니던 보다가 처음으로 엄마, 아빠 사랑해요 라고 써서 주었던 어버이날 편지가 한 해 한 해 늘어가며 정돈되어 가는 보다의 글씨도 볼 수 있다. 현관을 들어오면 바로 옆에 붙어 있는 작은방을 보다의 방으로 꾸미고 어설픈 손으로 방을 정리했던 흔적들이 가득 남아 있는데 어떻게 꿈이라고 생각할 수 있을까. 마음부터 가득히 차오르는 설움이 내 몸 밖으로 나왔다.

"경아야. 나왔어."

남편이 문을 열고 들어오는 소리를 들었지만, 침대에서 일어나지 못했다. 남편이 방까지 들어와서 자신이 왔음을 알렸다. 내 얼굴에 그늘이 진 만큼 남편의 얼굴에도 그늘이 들었다. 하지만 남편은 집에 있으면서 저녁도 차리지 않는 나에게 뭐라 하지 않고 옆에 조심히 앉아 말을 걸었다.

"경아야. 오늘 밥은 먹었어?"

"경아야. 집에 혼자 있는 게 힘들진 않아?"

"경아야. 부모님 댁에서 좀 쉬다 오는 건 어때?"

"왜."

"밥도 안 챙겨 먹고 혼자 있는 시간이 기니까 더 힘들잖아."

"자기도 힘들잖아."

"그래도 나는 회사 가서 일도 하고 밥도 먹고 사람도 만나잖아."

"집에 오면 자기도 혼자잖아."

"그럼 나도 부모님 댁에서 지내다 올게. 아니면 같이 친정에 갈까?"

"보다 혼자 있어야 하잖아. 그건 싫어. 보다랑 같이 있어야지. 우리가 부모잖아."

"그럼 누나 보고 집에서 잠깐 지내달라고 할게. 그러니까 경아야. 생각해 봐."

꼭 죽은 것처럼 지내는 나에게 남편이 친정에서 쉬다 오는 게 어떠냐고 물었다. 혼자 있는 시간이 길어서 더 힘들 수 있다고. 보다의 곁을 떠날 수 없었지만, '경아야. 외로움은 큰 병이야.'라고 말하던 엄마 말이 생각났다. 나는 외로움을 느끼고 있는 걸까. 외로움보단 고통에 가까운데. 나는 보다를 두고 갈 수 없는 엄마인데.

며칠을 이불 안에서만 지내다 결국 친정에 가기로 했다. 외로움은 큰 병이니까. 내가 병들기 전에 마음을 고치고 건강한 모습으로 보다를 마주하기로 했다. 집에서 입을 옷과 속옷, 양말 몇 가지 등을 가방에 넣고 남편 차를 탔다. 친정까지 데려다준 후 남편이 잘 지내다 곧 보자. 사랑한다고 말했다. 고마워. 나도 사랑해. 라고 말한 후 집으로 올라갔다.

엄마, 아빠는 나를 반갑게 맞이해 주었다. 다 같이 밥을 먹고, TV를 보고 잠을 잤다. 우린 함께 있는 시간이 길었지만, 의식적으로 보다 이야기를 꺼내지 않았다. 그렇다고 보다를 잊으려 노력한 건 아니다. 보다 생각을 했다. 대신 울지 않으며 보다를 생각하려고 노력했다. 예쁘고 귀한 내 딸을 슬픔에 침식시켜둘 순 없으니까. 생각만으로도 나를 풍족하게 해준 내 딸을 그늘지게 만들 수 없어서 나는 노력했다.

며칠이 지났을까 꿈속에 보다가 나왔다. 보다가 좋아하는 하얀색 원피스를 입고 샌들을 신고 엄마 봄이 와. 꽃 보러 가자. 말하며 내 손을 잡았다. 손으로 만져지고 따뜻한 온기를 가진 보다를 보니 너무나 기뻐서, 사랑스러워서 아이를 품속에 안아주었다. 품속에 안긴 보다는 더워했고 땀이 난다 했다. 아이가 답답할까 싶어 내려보았더니 온기를 빼고 피를 흘리며 점점 숨이 멎어가는 모습이 보였다. 보다를 향해 소리쳤고, 안고 병원으로 달렸지만 결국 보다는 품속에서 죽었다. 딸을 잃고 처음 꾼 악몽이었다. 깨어나니 귓바퀴에 고여있는 눈물이 차갑게 느껴졌다. 전날부터 몸살 기운이 있었는데 제대로 감기에 걸린 거 같았다. 몽롱한 기분으로 천장을 바라보고 있으니 친정이구나 싶어 엄마를 불러보았지만 아무런 대답도 돌아오지 않았다. 머리가 울리지만 겨우 몸을 일으켜 밖으로 나가보니 어두운 집 안엔 오직 나 혼자만 남겨져 있었다. 갈라지는 목으로 기침을 두어 번 내뱉고 물을 한 잔 따라 마셨다. 혼자라는 기분이 나를 약하게 만들었다. 나는 주저앉아 울다 불어오는 바람에 정신을 차렸다. 살짝 열린 베란다 창으로 바람이 세어 들어왔다. 바람을 따라 베란다 창으로 나가 섰다. 높은 곳에서 내려보는 세상은 어른인 나에게도 굉장해 보였다. 나무의 정수리가 보였고, 사람은 강아지처럼 작아 보였다. 그 모습을 보며 나무에 달라붙어 있는 꽃봉오리들을 보았다.

어김없이 봄이 오는구나.

서러웠다. 내가 사는 세상은 이리도 어지러운데 바깥은 순리에 맞게 돌아간다는 게 너무도 서러웠다. 보다가 보고 간 꽃봉오리는 매화였을 거다. 그 시기엔 벚꽃이 피지 않으니까. 벚꽃 봉오리는 이제야 자라기 시작했다. 봄꽃이라곤 벚꽃과 개나리, 진달래가 전부인 줄 알던 보다가 나를 생각해 알려준 꽃은 매화였다. 나이가 다 들고 하늘에서 보다를 만나서야 이 말을 해줄 수 있겠지.

새로운 삶을 사는 것도 아니고 그저 이전의 삶으로 돌아가는 것뿐이다. 보다를 만나기 전으로. 새로운 걸 도전하는 것보다 가슴에 묻어가며 살아가는 게 더 어려운 일이겠지만 난 살아가야 한다. 살아야 한다. 아무런 의미도 가치도 없는 삶이 될지언정 살아가야 한다. 이야기를 더 쌓아 하늘에 닿을 것이다. 그곳에서 영영 늙지 않은 우리 아이를 만나 엄마가 겪어온 시간과 많은 계절에 관해 이야기해 줄 것이다. 이야기 속에서 보다가 같이 늙어갈 수 있도록. 교복을 입거나 사춘기가 온 아이를 볼 수 없지만, 지긋하게 나이가 든 주름진 아이의 손을 어루만져 볼 수 없는 삶이지만, 이야기 속에서 나이가 들어가는 아이를 보며 나는 나의 삶을 추억하고 싶다.

베란다에 서서 계절을 가만 보고 있으니 마음이 환기되는 기분이다. 보다도 지금 집에서 밖을 보며 나와 같은 생각을 하고 있을까. 악몽을 꾸고 깨어 침대에서 혼자 울었던 방금이 부끄럽게 느껴졌다. 이집에 혼자 남았다고 생각이 들며 부모조차 나를 보호해주지 않는다고 생각한 자신이 부끄러웠다. 이곳에서 차츰차츰 앞으로 나아가고 있었다. 혹은 다시 회귀하는지도 몰랐지만.

충분한 생각 끝에 거실로 돌아와 달력을 보았다. 보다의 생일이 되었다. 형체는 없지만 한 살 더 자라난 보다를 나는 생각한다. 같이 생일을 축하하고 계절을 보기 위해 나는 돌아가자 생각했다.

저 멀리 타오르는 불꽃
: 삶과 죽음의 경계 위에

김태성

김태성   1998년에 태어났다. 경제학을 공부했지만 책을 좋아한다. 생각보다 감
성적이고 일본 작가를 제일 좋아한다. 하지만, 철학을 제일 좋아한다.

1

나는 오늘도 사막에서 말라비틀어진 미라가 되는 꿈을 꾸었다, 그리고 일어났다, 시간은 새벽 3시 반이었다. 어차피 6시에 일어나서 식당 영업을 준비해야 하니, 그냥 일찍 일어나기로 마음을 먹는다. 나는 일어나 침대를 개고, 삐꺽 삐걱 소리를 내는 나무 계단을 내려간다. 냉장고를 열어 물을 한 잔 마셨는데, 마시고 보니 어제 남긴 테킬라였다. 어차피 반 잔밖에 남지 않아, 모조리 입에다가 털어 넣었다. 이제 외국에서 생활한 지도 어엿이 50년이 돼간다. 45년 전, 나는 멕시코 에네켄 농장에서 노예같이 일했고, 그곳으로부터 도망쳐 나와 쿠바에서 작은 식당을 하며 남은 삶을 살고 있다. 나는 고국에 있는 가족들의 생사도 모른 채 먼 이국땅에 무엇을 위하여 사는가. 가끔은 고국의 향기가 그립지만, 돌아간다면 정치범 구치소에 잡혀서 생을 마감할지도 모른다. 난 쿠바혁명 때 혁명당 지인의 권유로 공산당에 가입하고 그 보조금으로 식당을 운영하고 있었기 때문이다. 나는 공산당이 싫

건 좋건 내 삶의 도움이 된다면 그것이 진리 아니겠느냐 생각하고 산다. 난 여태 그렇게 살아왔다. 그리고 머리가 아파지자 두 눈을 질끈 감았다.

2

45년 전, 나는 그늘 한 점 없는 마른하늘 아래에서 초록색 괴물과 싸우고 있다. 이 괴물은 1m에서 2m 남짓의 뾰족한 가시를 드러내고 있었고, 칼로 몸통을 베면 하얀색 피가 흘러나오는 녀석이다. 우리는 이 피를 모아서 밧줄로 만들거나 테킬라를 제조하는 데 쓰인다. 우리는 이 괴물의 정체는 다름 아닌 "에네켄"이라는 식물의 일종이다. 이 풀은 우리 조선 사람들 사이에 "에네켄"이라고 불렸다. 심지어 이 식물의 이름이 에네켄이라는 사실도, 농장에 도망치고 난 후에야 알게 되었다. 우리는 그저 이곳으로 끌려와, 누구를 위해, 무엇을 위해 해야 하는지 모른 채, 몇십 년을 해왔다. 하지만 모순되게도 우리 조선인들은 자진해서 먼 멕시코 유카탄반도까지 찾아온 것이다. 조선 정부 쪽에서, 한국에서는 벌어 먹고살기 힘드니, 외국 나가 외화를 벌어오면 본인도, 가족들을 포함해 모두가 행복할 것이라고 했다. 우리는 돈과 행복을 찾아 인천에서부터 장장 1달간을 배를 타고 왔다. 같이 온 유자씨도 마찬가지였다. 우리는 배 안에서 만났고 같은 지역 사람이라 반가워서 함께 술도 마시고 친해졌다.

"그쪽은 어디 사람이어요?" 유자씨가 물었다

"저는 저기 전북 김제라고 촌놈이어요" 나는 대답했다.

"그럼 나도 촌놈인데, 나도 전라도 사람이여" 하면서 너털웃음을 지었다.

"아이고, 고향 사람이었구먼, 내가 몰라봤네." 난 멋쩍듯이 대답했다.

"아냐, 뭐 얼굴에 어디 출신 쓰여 있는 것도 아니고, 근데 경상도 사람들은 딱 보면 알아." 그는 갑자기 눈을 크게 치켜뜨며 이야기했다.

"어떻게 알아요?" 나는 물었다.

"일단 생긴 것부터 싹수가 없어." 그는 소곤소곤하게 대답했다.

나는 그때 무슨 논리냐고 반박하고 싶었지만, 처음 만난 고향 사람과 얼굴을 붉히고 싶지는 않았다.

"그나저나 이 배는 왜 탄 거야?" 그는 대뜸 물어보았다.

"뭐 여느 여기 사람들처럼 돈 벌러 가는 거지, 지금 이 조선 반도에 할 수 있는 일이 있나? 어딜 가던 지옥 아니요? 여기 "천국"으로 가야지" 나는 조선 정부에 나누어준 광고문구 종이를 내밀며 자신 있게 대답했다.

"조선에 할 일이야 있지, 내가 할 수 있는 일이 없어서 그렇지." 그는 체념하듯 대답했다.

"그럼, 당신은 뭣 때문에 배를 탄 거요?" 나는 물었다.

"원래는 양반집 안이었는데 다 몰수당해서 빈털터리가 됐소, 뭐 친척들 도움 덕분에 좀 얹혀살고는 있는데 돈을 벌어야 먹고 살지. 어머니도 몸도 안 편찮으신데 내가 뭐 도움 하나라도 되려고 왔소. 어머니는 착한 사람이니까 천국 갈 터인데, 나는 못 갈 것 같아서 이번 기회에 살았을 때 "천국"이나 가보려고" 그는 너털스럽게 웃으면서 얘기했다.

"그리고 이거 말이야, 이거 뭐라고 적혀있는지 자네는 아나?" 그는 대뜸 종이 한 장을 들이밀면서 물어보았다.

그것은 다름 아닌 우리가 모두 조선 정부에서 받은 집조였다. 우리는 이 집조 한 장으로 멕시코에 갈 수 있게 되었고, 한국어 아래에는 모르는 언어로 막 무언가가 쓰여 있었다.

"저도 잘 몰라요, 뭐 그쪽에서는 한자와 한글을 모르니 저걸로 보고 우리를 알지 않겠어요?" 나는 시큰둥하게 대답했다.

"한자는 어디든 다 쓸 수 있는 거 아니었소? 조선 옆에 그렇게 큰 청나라가 있는데 한자를 모를 리가 없는데…" 그는 답답한 듯이 불평하며 말했다.

"얼핏 듣기로는 우리 조선 사람이랑 생김새도 다르고, 하던데" 나는 눈치를 보면서 말했다.

"달라 봤자 같은 사람이지 뭐, 나는 그런 건 모르겠고 얼굴 보면 딱 안다니까. 경상도 사람처럼 싹수없게 생기면 난 바로 다시 이 배 타고 조선으로 돌아갈 거요." 그는 결심하듯이 말했다.

3

시계의 시간을 보니, 벌써 4시였다. 정신 차리고 보니, 나는 멍하니 테킬라 잔을 들고서는 30분가량 서 있었다. 정말 한심하기 짝이 없었다. 나는 술잔을 닦아 찬장에 넣고, 마침내 식당 불을 켰다. 그리고 탁자를 헝겊으로 닦기 시작했다. 고개를 숙여 책상을 닦고 있을 때쯤에 큰 지프 한 대가 요란하게 소리를 내며 식당 앞을 지나갔다. 나는 지프를 보며, 그때 당시 살리나 순항 항구에 줄지어 서 있었던 지프들이 생각났다. 그날, 우리는 지프를 보자마자, 속았다고 생각했다. 정부에서 말해준 "천국"과는 다르게 우리는 지프를 타고 "연옥"을 향해가는 것이었다. 나는 책상에 손을 짚고 다시 머리가 아파 눈을 감았다.

4

첫날 항구에 도착했을 때는 우리의 상상과는 아주 다른 모습이었다. 지프가 날아드는 모래바람 사이에 연속으로 줄을 지었고, 10명씩 나누어서 어디로 향하는지도 모른 채 먼 사막을 내달렸다. 우리는 끝도 없는 모래사막을 달려 후덥지근한 바람을 맞았다. 사방은 온통 본 적 없는 모래더미뿐이었다.

"우리 어디로 가는 거야? 바다는 아닌 것 같은데" 유자씨는 미심쩍은 듯 주위를 둘러보며 말했다.

"저도 잘 모르겠어요. 아마, 끝으로 가면 바다가 있지 않을까요?" 나는 대답했다.

"이런 넓은 모래 구덩이에 물 한 방울 있겠어." 유자씨는 눈을 찡그리면서 말했다.

"저희 최종 도착지가 천국이라고 했으니까 먼저 연옥으로 먼저 가나 봐요" 나는 태연하게 말했다.

"연옥? 그게 뭐야?" 그는 물었다.

"연옥 뭔지 몰라요?" 나는 신기한 듯이 쳐다보며 되물었다.

"연옥? 연꽃 뭐 그런 거야?" 그는 나의 질문에 정답을 맞힐 생각이 없듯이 물어봤다.

"아뇨, 그 기독교에서 죽고 난 후, 뭔가 잘못은 저질렀는데 지옥 갈 정도는 아니고, 바로 천국 보내기도 좀 모호하니까, 잠시 정화하고 시키고 다시 심판받으라고 보내는 곳이 연옥이에요." 나는 대답했다.

"그래서 우리가 지금 심판받으러 가고 있다가 이건가?" 그는 따지듯이 물어보았다.

"아뇨, 그것보단 뭔가 천국 같아 보이진 않아서…"나는 바쁜 척 주위를 둘러보며 이야기했다.

"우리 어머니도 돌아가시면, 지옥에 가실까?" 갑자기 그는 물었다.

"네? 뭐 살면서 큰 잘못 안 저지르셨다면, 안 가시지 않겠어요?" 나는 조심스럽게 말했다.

그러자 그는 대답 없이 먼 사막 지평선만 바라보았다. 내가 마치 누군가의 사후 인생을 한 가름에 판단했나 싶어, 후회를 한 채 지프는 계속 하염없이 모래를 뚫고 뜨거운 사막을 내달렸다.

도착했을 때 주위에는 황금색 모래, 초록색 식물, 빨간 오두막 세 채뿐이었다. 마침내, 운전기사가 내리라고 손짓하더니, 우리를 내려 주곤 뒤도 돌아보지 않고 먼 길을 떠났다. 이후, 우리는 오두막으로 불려 가 어느 피부 까무잡잡한 아저씨와 대면했다. 그 아저씨는 알아듣지 못하는 언어로 우리를 손가락질했고, 책상 위에 있는 종이를 탁탁 내려쳤다. 10명은 일제히 책상의 종이를 보았고, 알 수 없는 언어의 숫자 4와 서명 칸의 밑줄만 간신히 읽을 수 있었다. 그러고선 다시 까무잡잡한 아저씨는 알아들을 수 없는 말을 이어나갔다. 그 와중에 계속 반복하는 단어가 있었으니, 바로 "에네켄"이다. 그러고선 갑자기 소파에 일어서더니 나와보라고 손짓했다. 우리는 뜨거운 햇볕 아래에 아저씨를 따라갔다. 그를 따라 멈춰 섰을 때, 초록색 식물 앞에 서 있었다, 그는 그것을 가리키며 "에네켄"이라고 계속 반복했다.

"저게 에네켄이라는 건가 봐요. 자꾸 에네켄 에네켄 하는 거 보니까" 유자씨는 말했다.

"그러게요" 나도 짧게 대답했다.

"참 희한하게 생겼네, 조선에는 개똥 풀만 봤지, 저런 건 본 적도 없는데" 라고 그는 혼잣말을 이어나갔다.

아저씨는 즉시 주머니에 칼을 꺼내서 식물의 한 줄기를 널찍하게 잘라서 하얀 액체가 나오는 것을 우리 눈앞에 보여주었다. 아저씨는 투명한 액체를 가리키며 무언가를 만드는 시늉을 했다. 나는 멍하니 떨어지는 투명한 액체를 바라보았다. 마침내, 액체는 흘러 뜨거운 사막 모래 속으로 들어갔고, 이에 금방 말라 형체를 잃어버린 채 모래가 되었다. 그러고 나서 에네켄을 한참 동안 바라보았다. 이는 마치 입을 벌린 괴물 같았고, 온몸에는 가시가 덮여있었다.

우리는 오두막에 다시 들어가, 그가 건넨 종이에 한 명씩 이름을 적기 시작했다. 우리는 아무것도 모른 채 하얀 종이 위에 검은 잉크를 채워나가기 시작했다. 이내 이름 옆에 인주로 지장까지 찍었다. 아저씨는 다 적고 난 뒤 "콰트로"라고 크게 외치신 뒤 손가락으로 숫자 4를 펼쳤고, 또 다른 숫자를 말씀하시더니 35를 두 손으로 번갈아 가며 펼쳐서 이야기하기 시작했다. 계속 더 설명을 나아가는데 그의 입에서 나오는 말은 마치 무성영화처럼 아무것도 들리지 않았고 우리는 그의 손가락 펼치는 것에만 집중하고 있었다. 본인은 설명을 다 한 듯, 다시 오두막을 벗어나 우리에게 따라오라고 손짓한다. 우리는 줄줄이 오두막을 나갔고, 넓은 밭을 가로질러 작은 헛간에 도착한다. 헛간에 들어가기 전부터 고소한 옥수수 냄새가 났고, 우리는 계속 헛간 문 앞을 기웃거렸다. 아저씨는 계속 이상한 말씀을 하시더니 열 손가락을 다 피면서 이야기를 계속 이어나갔다.

"저거 그러니까 10개 준다는 거요?" 유자씨는 물었다.

"잘 모르겠네요, 돈을 내라는 건가?"라고 나는 대답했다.

"저게 10전이면 좀 비싼 것 같은데"라고 유자씨는 투덜대면서 말을 이어나갔다.

아저씨는 우리들의 속삭임을 들은 체도 안 하고 바로 다음 장소로 옮기자고 재촉했다. 저 멀리 두 번째 헛간이 나왔다. 헛간 옆엔 큰 수

레가 많이 배치되어 있고, 에네켄을 자르는 시늉을 하면서 담는 보디랭귀지를 계속해 댄다.

"저기다가 저 에네켄을 자르고 넣어야 하나 봐요"라고 유자씨는 말했다.

"그런가 봐요" 나는 똑같이 대답했다.

"설마 저걸 다 채워 넣어야 일과가 끝나는 건 아니겠지?" 그는 걱정하는 듯이 물어봤다.

"하루에 한 수레만 채워서 끝내면 다행일 것 같네요." 나는 대답했다.

그리고 헛간의 문을 열더니 흰 모시옷이 널브러져 있었다. 그는 손짓하며, 입는 행동을 취하기 시작한다. 우리는 눈치껏 옷을 집어서 입기 시작했다. 다행히 면 옷보다는 모시라 훨씬 시원하긴 했지만, 거칠한 질감에 피부에 계속 쓸리듯 아팠다.

"왜 하필 재수 없게 삼베옷이냐 무슨 장례식 치르는 사람들 같잖아" 그는 계속 투덜대기 시작했다.

"그래도 우리가 입고 온 옷보단 시원하니 좋죠, 나중에 일하면 이거에 감사할걸요." 나는 대답했다.

그리고 그는 갑자기 옷을 가리키면 손가락에 15를 계속 반복적으로 펼쳐서 보여주었다. 아마도 이 옷은 15전가량 한다는 말인 것 같았다. 이런 누추한 옷을 15전이 줘야 한다니 참으로 기가 찰 일이었다. 나는 최대한 옷이 살갗에 닿지 않게 팔의 움직임을 최대한 해서 걸으려고 노력했다. 그러나 이런 노력을 물거품으로 만들듯이 아저씨가 나에게 문을 열라고 지시했다. 나는 탐탁지 않은 표정으로 헛간 문을 열었다. 헛간 안에는 먼지와 벌레가 가득했다. 누군가도 들어가고 싶지 않아 하자 아저씨는 얼른 들어오라고 손짓을 하면서 재촉했다. 그리고 놀랍게도 바닥에는 이불이 깔렸었고, 앞으로 이곳에서 자야 한다는 듯의 말을 했었던 것 같다. 그리고 재빨리 손가락을 펼쳐 20을 보여주면서 계속 말을 이어나갔다. 나는 머릿속으로 계산하기 시작했다, '음식 10전, 옷 15전, 잘 곳 20전, 총 55전이면 어떤 수로 돈을 모아 한국으로 돌아갈 수 있는 거지?'라는 생각을 할 즈음에 태양 빛이 가장 뜨거운 중천에 떠올랐다. 아마 12시쯤 됐을 것이다. 나는 태양을 바라보았다, 하얀빛이 내 눈을 아프게 할 때까지 말이다.

5

손에 탁자를 올려놓고 멍하니 바라보고 있는 나 자신에, 다시 한번 놀랐다. 얼마나 오랜 시간이 지났을까, 혹여나 오픈 시간을 놓친 건 아닌지 걱정했다. 다행히 시곗바늘과 바깥 풍경은 아직 시간이 충분함을 알려주고 있다. 그때 생각하면 참 멍청한 짓이었다, 하루에 겨우 35전씩 벌면서 매일 음식, 옷, 숙박비에 55전을 쓰니, 매일 25전이나 손해를 보는 빚쟁이의 삶을 살았다. 더군다나 몸 하나 성한 곳 없다, 지금 테이블을 닦고 있는 손도 상처투성이고, 등에는 채찍에 맞은 상처, 머리에는 큰 흉터가 났다. 머리는 에네켄 농장 주인장이 조선 사내들의 상투 머리가 마음에 들지 않아 강제로 잘라버렸는데, 그것의 저항을 하다가 생긴 상처이다. 유자씨는 그날 자기 머리카락을 자른 가위로 자결을 결심할 뻔했다. 그의 비명이 아직도 뇌리에 깊게 박혀있다, 우리는 그의 손에서 가위를 뺏어갔을 때 우리 모두의 손은 피투성이가 되었고, 한참을 울며 밤을 지새웠다. 그리고 우리는 또 언제 그랬냐는 듯이, 다시 농장에 에네켄을 따러 나가곤 했다.

6

다음 날 아침, 에네켄을 따다, 내 손의 상처가 쓰라려 어루만지고 있을 때쯤, 우리의 상처를 가소롭게 여기듯이 어느 조선 사내가 피투성이 된 얼굴과 몸 상태로 에네켄밭을 나뒹굴었다. 그리고선 농장주는 화를 아직도 못 삭였는지 사내의 상투 잘린 머리카락을 집어 올려 헛간 옆 창고에다가 사내를 집어넣는다.

"저 사람 도망가려고 하다 걸려서 농장주한테 여러 차례 얻어맞았다네요. 알아보니까, 저 사내도 경상도 출신이던데, 하여간, 경상도 사람들은 쯧" 유자씨가 혀를 끌끌 차면서 말했다.

"이 넓은 사막에 어떻게 도망가려고…" 나는 말했다.

"원래 경상도 사람들이 말도 안 듣고 무모하고 그렇더라고요" 그는 한심하단 듯이 얘기했다.

"내 말은, 설령 도망을 간다고 하여도, 무슨 수로 살아남겠다는 겁니까? 더군다나, 여기는 밥과 잠이라도 재워 주지만, 사막은 그것을 허락하지 않아요. 도시에 도착해도, 일거리도 없고. 멕시코말이라도 할 줄 알면 몰라." 나는 한심하단 듯이 대답했다.

"내가 듣기론 저 사내가 멕시코 말을 좀 한다고 들었는데, 뭐 나는 별 관심 없소." 유자씨는 말했다.

유자씨의 시큰둥함과 다르게, 나는 그 사내가 멕시코말을 한다는 소리에 눈이 번뜩였다. 온통 피투성이가 된 그의 얼굴이었고, 나뒹구는 모습만 봤지만, 나는 그 사내를 기필코 기억해서 말을 걸어보겠고 다짐했다. 그에게 멕시코말을 배워야겠다고 다짐했다. 그는 분명 무언가를 알고 있는 것이 분명하다. 다음날, 나는 일을 하는 와중에도 피투성이 사내를 찾아 나섰다. 분명 어제 흠씬 얻어맞았으니, 얼굴이 멀쩡할 일이 없었으니 말이다. 그러다가 점심을 먹는 와중에 피투성이 사내가 구석에서 혼자 옥수수빵을 집어 먹는 것을 발견했다. 나는 즉시 식판을 옮겨 그의 옆자리로 향했고 말을 걸었다.

"맞은 곳은 좀 괜찮소?" 나는 걱정하듯이 물었다.

"어제는 제가 못 볼 꼴을 보여 드린 것 같네요" 그는 머쓱하다는 듯 답했다. 그리고 그의 얼굴에 상처는 전혀 괜찮아 보이지 않았다.

"그냥 도망가려고 했다면서요, 어디로 그렇게 가시려고, 그냥 여기 농장계약 때까지 계시는 게 어떠하신지…" 나는 조심스럽게 권유했다.

"도망가려고 한 거 아니요." 그는 짧게 대답했다.

"아니 다들 도망가는 걸로 알고 있던데, 맞는 각오를 할 정도로 어디를 그렇게 가시려고…" 나는 하지 못한 듯이 물었다. "물었다.

"선생님께서 그에 관련해 발설하지 말라고 하셨소, 그냥 도망자로 취급해도 좋소, 어차피 농장주는 어디를 가든 날 그렇게 생각할 터이니." 그는 창문 밖을 보면서 말했다.

"선생님? 누구 선생님이요? 여기 농장에 또 무언가가 있단 말이오?" 나는 물었다.

"여기 농장이 아니오." 그는 대답했다.

"아니 그 감질나게 하지 말고 제대로 어떤 상황인지 좀 알려줘요. 나도 여기 나가고 싶어요.."

나는 답답한 듯이 말했다.

"방금만 해도 내가 도망가는 걸 다그치지 않았소?" 그는 날카롭게 질문했다"

그건 그렇긴 한데… 그런 것보단 그쪽이 피투성이라 걱정되어서 조바심에 한 소리요." 나는 대충 얼버무리며 대답했다.

"피투성이가 되는 게 두렵소?" 그는 물어봤다.

"그야, 맞는 건 항상 두렵지요." 나는 대답했다.

"육체적 고통이 두렵다면 당신은 나갈 수 없소, 저 먼 사막을 가로질러 다다른 도시에는 더욱더 큰 고통이 다가올 것이요. 그러면 당신은 감당하지 못합니다." 그는 이해하지 못하는 말을 쏟아내고는 식판을 들고 자리를 떴다.

나는 한참이나 자리에 앉아 어떤 고통이 다가오느냐는 상상을 했다. 저 피투성이 얼굴보다 더 두려운 것은 무엇일까? 혹시 누군가의 자결을 또 막아야 하는 건가? 아니면 내가 자결하게 되는 결심을 하는 것인가? 성경 말씀을 따르면, 자결하는 자는 지옥에 간다. 그러하니 맞아 죽는 한이 있어도 절대 목숨을 스스로 끊어서는 안 된다고 했던 어머니의 말씀이 기억났다. 그래서 아마 내가 그날 유자씨의 자결을 막았을지도 모른다. 본인은 어떻게 죽어도 지옥에 간다고 했지만, 하나님은 자비로우시기에 연옥이라는 것을 만들었고 나는 지금 그 연옥 안에서 천국을 가려고 마음을 먹었다. 하지만 무엇이 나를 가로막는가? 에네켄? 농장주? 모든 것도 아닌 그것은 두려움이었다. 천국에 발을 디뎠을 때 그곳이 천국이 맞을지에 대한 두려움, 지옥으로 떨어지게 되는 그 두려움이 나를 이곳에 한 발짝도 못 움직이게 한다. 하지만 그 사내는 나와 다르게 두려움을 이겨냈다. 지옥으로 떨어질 용기는 마치 천국으로 발을 디딜 용기와도 같았고, 두려움을 이겨내야 천국으로 갈 수 있다는 것을 깨달은 상태에 나는 오늘 밤도 무사히 잠이 들었다.

7

"어제 그 피투성이 사내와 이야기하던데 왜 멍청하게 도망갔는지 물어봤소?" 유자씨는 에네켄을 베면서 물어보았다.

"그자는 도망간 게 아니더군요." 나는 대답했다.

"그럼 뭘 한 거요?" 유자씨는 놀라면서 물어보았다.

"무슨 육체적 고통 그 이상 준비에 관한 이야기? 대해서 말하더군요." 나는 대답했다.

"이상한 소리를 내뱉고 온 모양이군" 그는 어이없단 듯이 말했다.

"그래서 왜 도망간 거요?" 그는 답답하단 듯이 다시 물어봤다.

"그러니까 나도 잘 모르겠어요. 그가 대답을 잘 해주지 않고 다른 이야기만 늘어놓더군." 나도 답답하단 듯이 따지듯 얘기했다.

"그거 그냥 할 말 없어서 그런 거요, 뭐 그냥 싫증이 나서 도망간 거지. 여기 이 넓고 황량한 사막에 무슨 이유를 더 찾겠소?." 그는 체념하면서 말했다.

그러나 나는 유자씨와 달랐다, 분명 하고 싶은 이야기가 있는 것만 같았다. 나는 오늘도 밥 먹을 때 그 사내를 찾을 것이라고 다짐했다. 오늘도 어김없이 그 사내는 가장 바깥쪽 구석 창가에 앉아 옥수수빵을 집어 먹고 있었다. 나는 그날과 똑같이 다가가 아무 말 없이 옆에서 같이 빵을 먹었다.

"그래서 아직도 고통이 두렵소?" 그는 말문을 열었다.

"고통이요? 두렵고 말고요." 나는 입을 열었다.

"그렇지만, 그 두려움을 이겨내야 이 세상을 향해 한 발자국 더 앞으로 나아갈 수 있지 않겠소? 이 농장에서는 나는 더 오래 있을 생각도 없고, 빨리 조선으로 돌아가 가족들과 만나고 싶소. 그러나 이 농장에서 일만 한다면, 두려움이 있다면, 나는 절대 조선으로 돌아가지 못할 거요. 아마 빚만 늘어서 여기 오래 살게 되겠지. 두려움이 없다고는 말 못 하겠습니다. 하지만 혹시라도 선생님께서 이 두려움을 극복해서 더 넓은 세상으로 그리고 다시 조국으로 돌아갈 방법을 알고 계신다면 저에게도 알려주셨으면 합니다." 나는 길게 독백하듯 말했다 했다 했다.

그러자 그 사내는 가만히 듣더니 종이에 무언가를 적어서 나에게 건네주곤 식판을 들고 떠난다.

"오늘 저녁 10시에 그 장소에서 만나요. 농장주한테 안 들키게 몰래 조심히 오시고 아무도 데려오지 마세요. 당신 혼자만 오세요." 말을 이어나가고 그는 떠났다.

종이에 쓰여 있었던 건 다름 아닌 약도였다, 그는 농장 주변의 폐허 건물을 자세히 그려진 약도를 하나 건네주었다. 아마 접선 장소인 듯 싶었다. 나는 그날 저녁 나는 자는 사람을 최대한 방해하지 않고 몰래 약도가 일러준 곳으로 나왔다. 장소에 도착했을 때 그 사내는 차 한 대 앞에서 손짓했다. 나는 의심 찬 눈빛에 두리번거리며 그 사내에게 다가갔다.

"타시오" 그는 말했다

"누가 보내신 건지?" 나는 의심하는 듯이 물었다.

"김익주 선생이 직접 보낸 차요. 얼른 타시오" 그는 재촉하듯이 말했다.

난 그저 누가 보낸 차인지 모른 채 어딘가로 향하는 차를 타고 이동하고 있었다. 그토록 도망 나오고 싶었던 모래 구덩이들을 가로질러, 도로가 보였고, 어느 한 마을에 도착했다. 그곳은 다름 아닌 식당이었다. 그러나 식당은 불이 꺼져 있었고 손님도 없어 보였다. 나는 자동차에 내려 계속된 긴장감의 연속이었다. 그 사내는 이미 많이 와본 듯 문을 두들겼고, 안에서 그 사내 얼굴을 확인하더니 문을 열어주었다. 그 안은 바깥의 황량한 분위기와는 다르게 따듯한 분위기였다. 많은 사람이 술을 마시며 담화를 나눴고, 농장주가 했던 멕시코말은 전혀 듣지 못했다. 그들은 다 나와 같이 코가 낮았고 피부도 꽤 하얗다. 그렇다, 이곳은 다들 조선 사람이었다. 나는 이곳에 우리 농장 말고 또 다른 조선 모임에 있는 것에 놀라움을 금치 못했다. 그리고 한 선생이 양복에 중절모를 쓰고는 나에게 손을 내밀었다.

"반갑습니다. 동포 선생 나는 김익주라 합니다" 그는 손을 잡아주길 바라듯 말을 했다.

"아 차를 보내주신 선생님이시군요. 반갑습니다. 근데 여기는 모두 다 조선 사람들이요?" 나는 물어보았다.

이내, 나의 대답에 김익주 선생의 표정은 당황한 기색이 역력했다. 그러자 그 사내를 보면서 물어보았다.

"아직 소식을 못 들으신 모양인데?" 그는 사내를 쳐다보며 물어보았다.

"네 계속 농장에만 일해서 바깥소식을 접하지 못했을 겁니다." 사내는 당연하단 듯이 대답했다.

"자 천천히 여기 앉으시죠, 테킬라 한 잔 마시며 얘기를 합시다" 그는 제안했다.

나는 어안이 벙벙한 상태로 의자에 앉아 그가 입을 떼길 기다리기만 했다.

"우리 대한제국의 주권이 박탈되었소. 일제에 이해 강제 병탄 되었고 지금 우리는 대한제국사람이 아닌 일본황제 시민 중 한 명이오. 나도 마찬가지고 여기 있는 사람들 다 마찬가지입니다. 그리고 저는 김익주라고 합니다. 한인독립단이 보낸 멕시코 한인회 총장이죠. 제가 여기 멕시코에 사는 한국인들을 모아 자금을 전달하고 담당하는 사람입니다." 그는 체념하듯이 눈치를 보면 말을 건넸다.

나는 내가 무슨 말을 들었는지 자각하는데 굉장한 시간이 걸렸다. 에네켄 농장이 연옥이라면 이곳이 지옥일까? 나는 머릿속에 계속 되뇌고 되뇌었다. 나는 순간 그날 농장주에게 맞은 남자를 보면 안 됐다고 생각했다. 이 모든 것이 나비효과로 날라와 여기까지 이른 것이다. 하지만 난 이내 정신을 다시 붙잡았다. 어차피 저 맞은 사내를 보았던 볼 수 없었든 우리나라를 잃는다는 사실은 변치 않으니 그것은 아무 쓸모 없는 이야기였다. 오히려 이젠 이 사실을 깨닫고 나선 이곳이 연옥이라는 것을 확실히 깨달았다. 조선은 지옥, 여기는 연옥, 그렇다면 천국은 어디인가?

"그래도 우리에겐 희망이 있소. 이걸 읽어주길 바라오" 김익주 선생님은 내 생각을 끊고 편지를 한 장 내밀었다. 종이 위엔 긴 장문이 쓰여 있었다.

사랑하는 동포 여러분에게

어딘가에 계실지 모르는 동포분을 위해 이 편지를 적어봅니다. 누구는 상해, 누구는 충칭, 누구는 하와이, 조선인들의 육체는 어디 계실지 모르겠지만, 마음은 조선에 향하고 있다는 것을 굳게 믿고 있습니다. 우리 조선은 1905년 일제의 이해 강제 병탄 되었음을 알립니다. 그리하여, 이 편지를 적어 동포들에게 보냅니다. 우리는 지금 일제의 눈과 감시를 피해 상해에 임시정부를 설립해 독립운동가 및 교육을 양성하고 있습니다. 멀리 계신 동포 여러분께 간곡히 지원금을 요청하는 바입니다. 자금을 비밀리에 운반해야 하다 보니 중간에 도달하지 못한 것도 많고, 아직도 자금이 굉장히 부족합니다. 일제 심장에 폭탄 하나 만드는 돈, 일제 심장에 박히는 총알, 정보 수집, 이 모든 것이 다 동포들의 소중한 자금으로 지금까지 운영됐습니다. 그러나 아직도 저희는 많은 것들이 부족합니다. 그리하여, 동포 여러분의 힘이 필요합니다. 저 김창수가 친히 편지를 써 부탁하오니, 동포 선생님들께서 자금 후원에 동참해주시면 감사하겠습니다.

대한 독립 만세

白凡 金昌洙

"대한민국 임시정부 주석이신 백범 김구 선생님께서 친히 쓰신 편지가 저희 멕시코 그리고 하와이, 중국, 모든 곳에 보내졌습니다. 자금을 후원해달라는 편지였죠. 그래서 저도 여기서 일제의 감시를 피해 식당을 차리고 돈을 후원하고 있습니다. 여기 주점에 앉아있는 모든 조선인도 그것에 동참하고 소식을 들으려고 온 것이죠." 그는 또박또박 말을 했다.

"그래서 저한테도 독립운동을 동참하라는 말인가요?" 나는 물었다.

"그것은 선생님의 선택이죠. 저희와 동참하셔도 되고, 아니면 아무

일도 없는 것처럼 저기 농장에서 일하는 사람들처럼 조용히 남은 일생을 살면 됩니다." 그는 대답했다.

"독립운동을 한다면 저도 여기서 계속 지옥 같은 농장일 하면서 사는 겁니까?" 나는 물었다.

"솔직히 말씀드리면 멕시코도 안전하지 않습니다. 일제들이 이미 많은 정보를 알고 있어요. 그래서 여기 임천택 선생님께서 멕시코 한인들은 대거 쿠바로 이주시키실 생각입니다. 쿠바에 들어가서 정부의 조건에 동조한다면 좀 더 안정적으로 돈을 후원하며 살 수 있을 겁니다. 내일 다시 여기 주점으로 와주시오. 아마 임천택 선생께서 내일 주점에 방문하실 거요. 일단 얼른 돌아가시오 이미 너무 늦었소." 김익주 선생님은 말했다.

나는 인사 한마디도 못 하고 김익주 선생이 뒤돌아 가는 것만 보았다. 어째 식당에 있는 모든 조선사 내들은 술잔을 들고 대화를 나누며 웃고 있었다. 나는 정말 이런 모순적인 공간이 있음에 놀랐다. 누구는 조선의 미래 걱정이 가득한데, 누구는 술잔을 기울이며 사람들과 이야기를 하는 것이다. 난 이제 이 사실을 유자씨에 어떻게 이야기를 해야 잘 설명 할 수 있을지 고민했다. 물론 대한제국의 멸망에 관해선 이야기하지 않을 것이다. 그의 작은 고향으로 돌아가는 희망 하나의 불씨를 짓밟고 싶진 않았다. 그리고 천천히 농장으로 가는 지프를 타고선 헛간으로 걸어갔다. 그리고 별이 가득한 밤하늘을 고개를 들어 북두칠성을 찾으려고 노력했다. 그러나 조선 밤하늘에 그렇게 흔하던 북두칠성은 멕시코에서 보이지 않았다. 아마도 조선이 더는 없어졌으니 북두칠성도 그리고 나 자신조차도 마찬가지인듯하다.

8

눈을 떠보니 어느새 햇빛이 밝아온다, 그렇다. 나는 책상을 닦고 있었다. 그러자 갑자기 누군가 식당 문을 노크소리를 들었다. 다름 아닌 양복에 중절모를 쓰고 있는 중년의 남자가 문 앞에서 기다리고 있었다. 나는 서둘러 문을 열었고, 그는 문을 열자마자 입을 뗐다.

"임천택 선생님께서 오늘 별세하셨습니다. 같이 병원에 가주셔야 할 것 같습니다"

나는 아무 말도 하지 못한 채 중년만 바라보았다. 중년 뒤에 있는 지프를 보고 앞치마를 벗었다. 그리고 이내 모자를 쓰고 식당 문을 굳게 닫은 뒤 중년 남자와 함께 지프에 올라탔다. 그날 멕시코에서 탔던 지프와는 전혀 다른 느낌이었다. 그날 열정적이고 돈을 벌려고 희망을 가득 안고 연옥으로 향하든 지프를 탔든 20대의 나와는 누군가의 죽음의 자유를 환영하려 지프를 타고 향해가고 있는 50대이다.

"원래 인간은 죽으면 어떻게 되는 거죠?" 지프를 운전하던 중년의 남자가 물어보았다.

"아마 연옥으로 가겠지요." 나는 먼 곳을 쳐다보며 대답했다.

"가톨릭이요?" 그는 물어보았다.

"뭐, 아직까지요." 나는 짧게 대답했다.

"그래서 임천택 선생님께선 천국에 가실 것 같습니까?" 남성이 물어보았다.

"그건 제가 판단하는 게 아닙니다. 신께서 판단하실 겁니다." 나는 대답했다.

"그 신이라는 건 공평한 거요?" 남성은 나를 쳐다보면서 물었다.

"신은 공평하죠." 나는 대답했다.

"그러면 분명 천국에 가시겠네요." 그는 단정하듯 말을 했다.

"그건 아무도 몰라요. 신께서 판단하실 겁니다." 나는 반박하듯이 말을 했다.

"선생님께서 천국에 못 가고 지옥에 떨어진다는 말이오?" 그는 짜증을 내듯이 물어보았다.

"저는 선생님께서 천국에 간다. 지옥에 떨어진다는 말 한 적 없습니다. 아무도 모른다고 한 거죠. 신께서 판단하실 겁니다." 나는 하늘을 올라다 보며 얘기했다.

"어차피 가톨릭은 이분법 아닙니까? 천국 아니면 지옥. 왜 그렇게 단정 짓는지 모르겠소."

"원래 인생이란 이분법입니다. 살아가고 있든지 죽어가고 있든지 둘 중 하나입니다." 나는 대답했다.

"그럼 임천택 선생께서는 죽어가고 계신 겁니까?" 그는 물었다.

"아뇨. 살아가고 계신 겁니다." 나는 대답했다.

"무엇을 위해 살아가고 계시는 겁니까?" 남성은 다시 물었다.

"죽음을 위해서 살아가고 계시는 겁니다." 나는 대답했다.

남자는 나의 대답을 이해하지 못한 듯 더는 질문을 하지 않고 핸들을 잡았다. 머지않아 어느 한 빌라에 도착했다. 차는 멈추고 남자도 시동을 끄고 내렸다.

"저기 안에 계십니다. 장례는 내일 치른다고 하니 아직은 저택에 계십니다." 남성은 조수석 문을 열어주며 말했다.

"감사합니다. 다음에 기회가 되면 또 보시죠." 나는 말했다.

"선생님은 정말 살아가고 계신 게 맞습니까?" 그는 물어봤다.

"당연하죠." 나는 웃으며 대답하고 빌라 안으로 걸어 들어갔다.

이것이 아마 임천택 선생님께서 원하던 대답이었을 것을 나는 확신한다.

9

"반갑습니다 임천택이라고 합니다. 지금 바로 쿠바로 저와 함께 떠나셔야 합니다. 시간이 많지 않습니다." 어느 한 백색 양복에 백색 중절모를 쓰고 있는 남성이 힘차게 악수를 건네곤 바로 악수를 받고는 입구 밖으로 같이 나갔다. 예상대로 나에게 주어진 시간은 없었다. 모든 것이 놀랄 정도로 빨리 진행이 됐다. 눈을 떠보니 멕시코 항구였고, 눈을 떠보니 배 위에 올라타 있었고, 눈을 떠보니 거친 모래사막은 나에게 멀어지고 있었다. 아직도 유자씨가 눈에 아른거리는 건 왜일까? 아마도 다음날 없어진 나를 애타롭게 찾진 않을까. 농장주에게 도망간 너를 추궁하다가 맞지는 않을까. 유자 어머님은 지옥으로 가시지 않았을까. 유자씨도 곧 지옥으로 가는 것이 아닐까 별개 걱정이 되기 시작한다. 그리고선 문득 어젯밤 자기 전 유자씨가 했던 본인의 이름에 관해서 이야기한 것이 생각이 났다.

"내 이름이 무슨 뜻인지 알아요?" 그는 물었다.

나는 아무 대답도 하지 않은 채 천장만 응시했다.

"버릴 유(揄)에 아들 자(子)예요. 저는 버려진 아들입니다." 그는 담담하게 본인 물음에 답했다.

"사람의 이름이 본인의 평생 운명을 좌우한다고 하더군요. 그래서 저는 아마도 버려진 자식이라 여기 넓은 사막에 버려진 것 같습니다." 그는 한탄하면서 말했다.

"참, 그쪽은 이름이 어떻게 되십니까?" 버려진 자가 물었다.

난 끝내 내 이름을 말하지 못했다. 나는 결코 이름이 누군가의 운명을 좌우한다는 믿음이 없기 때문일지도 모른다. 나는 지금 이름이 없다. 아마도 독립 전까지는 말이다. 사실 처음부터 조선에 애정을 가진 것은 아녔다. 아마 애국심이라면 유자씨가 더 강했을 터이니 말이다. 나는 상투 머리가 잘려나가도, 조선을 떠나도 사실 그렇게 슬프진 않았다. 참 모순적이라고 나는 생각했다. 애국주의자도 아닌 내가 왜 독립운동에 참여했는지, 어떻게 이어나갈 생각에 이 배에 탔는지 잘 모르겠지만. 하나 확실한 건, 이 모순된 태도가 나를 지금 있게 만들어준 것이라고 난 생각했다. 나는 절대 무슨 일이 있어도 자결을 하지 않겠다는 생각뿐이었다.

"많이 힘드시죠?" 한 중년의 남성이 말을 걸어왔다. 임천택 선생님이었다.

"아뇨, 뭐 농장일 할 때보다 낫네요." 나는 대답했다.

"아마 더 힘들지도 모릅니다. 거기라고 안전한 곳은 아니니까요." 그는 대답했다.

"도착할 때쯤이면 아바나 시내에 제가 마련해 둔 자리가 하나 있습니다. 거기에 식당을 여세요. 중식 정도면 딱 적당할 것 같습니다. 그리고 이주한 중국인처럼 사시면 됩니다. 제가 따로 위조신분증과 중국어 이름은 만들어 드리겠습니다. 대신 조건은 여기 쿠바 정부와 무조건 협력해야 합니다. 그들이 무엇을 요구해도 들어주면서 그 식당을 계속 유지를 해주셔야 합니다. 아마, 정부가 제일 먼저 할 것은 사상검증일 겁니다. 무조건 공산당을 지지한다고 하세요. 그렇게 하면 정부에서 보조금이 마련이 될 겁니다., 그걸로 생활하시면 됩니다." 그는 모든 과정을 다 설명해줬다.

"그럼 선생님께서는 어디서 지내십니까?" 나는 물었다.

"저는 그냥 이곳저곳 계속 돌아다니면서 살 생각입니다. 이것이 독립운동가의 숙명입니다" 그는 먼바다의 지평선을 바라보며 얘기했다.

"그럼 선생님을 다시 뵐 수 있을까요?" 나는 물었다.

"아마 제가 죽게 되면 볼 수 있을 겁니다." 그는 대답했다.

"원래 독립운동가는 살아도 죽은 것처럼 그리고 죽어도 산 것처럼 살아가야 합니다" 그는 덤덤하게 말했다.

"그럼 선생님은 살아계실 동안 죽은 것이고, 돌아가실 땐 살아계신 건가요?" 나는 다시 물었다.

"그렇다고 볼 수 있죠. 단 한 가지의 소원이라면 살아있을 때만이라도 대한제국 땅을 밟아보는 것입니다. 그 이외엔 없습니다." 그는 대답했다.

이윽고 거친 파도에 배는 일렁였고, 이젠 뒤에 보이던 사막도 앞에 아무도 것도 보이지 않는 밤바다의 지평선만 보일 뿐이다. 나는 고개를 들어 하늘을 쳐다봤을 땐, 그 흔한 북두칠성은 아직도 찾아볼 수가 없었다.

10

나는 빌라에 들어갔다. 갔을 땐 임천택 선생님은 침대에 조용히 누워 계셨다. 그날 배에서 보고 본 마지막의 모습이었다. 그래도 그가 살아있을 때 봐서 다행이라고 생각했다. 비록 모두가 그는 죽었다고 말하지만 나는 그가 아직도 살아있다고 생각한다. 그것은 아마 임천택 선생님 본인도 마찬가지일 것이다. 삶과 죽음의 경계에 선 나는 과연 무엇일까. 이제 나도 죽음을 향해 살아가는 사람인 걸까? 죽게 된다면 나는 어디로 가게 되는가를 선생님을 바라보며 생각에 잠겼다.

"그쪽은 이름이 어떻게 됩니까?" 나는 기사에게 물었다.

"저요? 유자라고 합니다." 그는 대답했다.

"무슨 유자에 무슨 자입니까?" 나는 다시 물었다

"부드러울 유(柔)에 누이 자(姉)입니다." 그는 대답했다.

"선생님 이름은 어떻게 되십니까?" 그는 되물었다.

"저는 이름을 모릅니다." 나는 대답했다.

"아 그러시군요. 뭐 사람이 사람 이름대로 삽니까? 저 보세요. 가족들이 제가 태어났을 때 딸인 줄 알고 그냥 이름도 대충 지었습니다. 그러자 어머니께서 아무리 딸아이라 하더라도 본인 자식에겐 소중한 이름을 물려주고 싶었나 봅니다. 그래서 어머니가 부드러운 누이가 되라고 유자라고 지어준 것 아니겠습니까? 그런데 알고 보니 사내아이가 태어난 겁니다. 얼마나 웃긴 인생입니까." 그는 너털웃음을 지으면서 말했다.

마침내 그는 나의 식당에 앞에서 내려주었다. 그는 잘 가라는 악수를 청하며 지프의 액셀러레이터를 밟았다. 그의 차는 먼 희미한 가로등 불빛으로 점차 사라져갔다. 마침내 천국을 향해 달려가는 것처럼. 이윽고 시계를 봤을 땐 정확히 새벽 6시였다.

엄마는 취준생

최은진

최은진   어쩌다 보니 7년 차 카지노 딜러, 7년 차 직장인, 7년째 고민하다 글쓰기를 비로소 시작하는 사람. 2018년 드디어 취업에 성공했을 때, 엄마가 취준생이 되어버렸다. 필연적으로 엄마의 몸에서 나올 수밖에 없는 사람이라 세상에 내놓을 인생 첫 책은 엄마에 관한 이야기를 쓰겠노라 다짐했다. 이 글이 '오마주 투 엄마'를 넘어 각자의 세상에 첫 발자국을 내딛는 모든 이에게 응원이 되길.

1958년 7월 7일. 엄마가 태어났다.

세상에 우리 엄마가 태어났다.

　엄마의 고향은 경상북도 청송군 파천면 어천리다. 이 깡시골 마을에서 태어난 엄마는 5남매 중 둘째다. 엄마에겐 큰오빠 하나, 남동생 둘, 여동생 하나가 있다. 엄마의 이름은 '영희'다. 꽃부리 영, 여자 희. 꽃처럼 아름답게 살길, 혹은 영광스럽고 빛나는 사람이 되기를 바라는 마음에서 외할아버지와 외할머니는 엄마의 이름을 그렇게 지었을 것이다.

　한국전쟁 이후 희망만이 가슴 속에 가득히 차오르는 내가 가본 적 없는 격동의 시대 속에서 그저 꽃처럼 피어나길, 이 세상에 엄마는 그렇게 태어났다. 엄마가 태어난 날에는 적어도 우리 외할아버지, 외할머니, 큰외삼촌, 그리고 많은 친척에게는 영광스럽고 빛나는 하루였을 것이다. 세상의 수많은 영희들보다 '우리 영희'가 가장 예뻤을 터, 엄마는 세상에 그렇게 다가왔다. 1958년 7월 7일, 영희는 모두의 세상 속으로 그렇게 태어났다.

나는 그런 영희의 딸이다.

엄밀히 말하면 엄마의 둘째 딸이다. 언니를 낳고 엄마는 지난하고도 형용하기 어려운 피곤한 하루들을 지나 5년 뒤 나를 낳았다. 언니는 엄마를 많이 닮았다. 하얀 얼굴에 쌍꺼풀 있는 또렷한 눈매, 숱이 많은 풍성한 머리칼까지, 엄마는 언니에게 당신의 좋은 부분을 아낌없이 주었다. 심지어 아무리 술을 많이 마셔도 얼굴이 벌겋게 달아오르지 않는 사회적 유익까지도 엄마는 언니에게 물려주었다.

그런 언니와 달리 나는 아빠를 많이 닮았다. 친척들이 많이 모이는 각종 경조사 자리에서 나는 본의 아니게 약간의 개인정보보호의 어려움을 겪는다. 외할머니 장례식 때 한번은 이런 일이 있었다.

"니 최 서방 딸이제? 최 서방인 줄 알고 왔다! 엄마야~ 참말로 최 서방이랑 똑~같이 생겼네!"

우리 가족은 서울에 살고 대부분의 친척들은 경상도에 살기 때문에 왕래가 적어질 수밖에 없어 친척 어른도 얼굴을 잘 모르는 경우가 나에겐 허다하다. 그런데 어른들께서는 이미 내가 누구 딸인지 '얼굴'로 다 알고계시고 있다. 이게 다 최 서방 덕분이다.

어릴 때 친척들은 나랑 엄마가 안 닮았다며 어쩜 이렇게 아빠만 닮았냐고 귀에 피딱지가 앉도록 말하기도 했다. 그걸 나한테 물어보면 내가 답을 알 리가 있나. 요즘에도 가끔 듣는 말이지만 둘 중 하나라도 닮은 게 어디냐고 웃으며 넘긴다. 아빠를 닮은 나는 술을 몇 모금만 마셔도 얼굴이 금방 시뻘건 몰골로 변한다. 그 몰골은 아주 볼만한데 마블 시리즈 히어로물 〈어벤져스〉의 '비전'이 따로 없다. 모임에서 간단한 반주라도 하면 금세 빨갛게 익은 나의 모습에 친구들은 '홍익인간'이 되었다고 나름 귀여워하며 조용히 잔을 뺏는다. 조용하나 강력하게, 나에게 더 마시지 말라며 배려한다. 아빠의 최대 약점을 물려받은 덕분에 나는 사회초년생 시절 직장에서의 회식도 나름 불편하지 않게 보내곤 했다.

우리 가족은 이렇다.

특이할 것도 없는, 서로에게 낯간지러운 사랑 표현은 생일이나 새해 때만 하는 지극히 평범한 대한민국 4인 가족이다.

다시 엄밀히 말하면 엄마는 최 서방이랑 결혼했고, 서로 공평하게 당신을 닮은 딸 하나, 남편을 닮은 딸 하나를 낳았다. 엄마의 세상에 천천히 아빠가, 언니가, 그리고 내가 찾아왔다. 모두의 세상 속에 엄마가 찾아오듯 마지막 주자로 나도 엄마의 세상 속으로 찾아갔다.

누구보다 더 특별할 것도, 그렇다고 더 평범한 것도 없는 흔하디흔하게 인생에서 불리는 단어, 엄마다. 누구에게나 있고, 있었을 것이며, 있을 존재라고 엄마를 그렇게 흔하게 생각해 왔었다. 그런데 내가 알던 엄마가 달라졌다. 내가 대학을 졸업하고 갓 회사에서 인턴을 시작할 무렵 엄마는 정년퇴직했다. 그리고 엄마는 다시 취업준비생이 되었다.

우리 엄마가 '취준생'이 되어버렸다.

취업의 서막

'자기소개서에 인생을 써보세요'

이제부터 엄마의 '취준', 다시 말해, 취업준비 이야기를 하고자 한다.

사실 엄마가 취준생이 된 데에는 엄마의 의지만 깃든 것은 아니었다. 엄마는 취업 하나를 위해 '준비'라는 것을 하면서까지 해야 했던 절망의 세대가 아니었다. 엄마는 고등학교를 졸업한 후 체신부(과거 전파, 정보통신, 우편 등의 업무를 관할하던 행정기관)에 입사해 전화 관련 업무를 인생 처음으로 시작했다. 그 직장이 1980년대에 공기업 '한국통신'으로 변모하였고, 이후 민영화를 거쳐 지금 들으면 알 만한 대기업 통신회사가 되었다. 엄마는 그 대기업에서 정년퇴직하였다. 엄마는 그렇게 한 기업의 역사에 40년을 함께했다.

변한 건 회사만이 아니다. 엄마의 인생도 변하였다. 재직하신 40년 동안 엄마는 가정도 이루고, 대학교도 가고, 회사에서 필요한 전문자 격증들도 따며 꽤 많은 승진을 했다. 이런 한 개인의 성장이 물론 큰 기업에게는 보이지 않는 작은 부분일지라도 엄마는 그 기업에 다닌다는 것만으로 집안에 큰 자랑이 되었다. 우리 외삼촌들이나 친척들은 오랜만에 모이는 자리에서 엄마가 그 회사에 다니지 않고 있는 지금까지도 그 기업을 다닌 엄마를 입에 침이 마르도록 칭찬하신다.

"느그 엄마 덕분에 우리 어릴 때 다 어깨 펴고 다닌 거 은진이 니 아나? 다른 집들은 전화기 없을 때 우리 집만 전화기 있었다 아이가! 하하하! 그래서 동네 아-들이(아이들이) 우리 집 와서 전화 한 번만 써보자 카고 그랬다! 니 모르제? 느그 엄마가 그리 대단했다!"

엄마의 딸인 나에게 엄마 자랑을 연신 늘어놓는 엄마의 형제들을 볼 때마다 '나이가 육십이 넘어도 어른들은 생각보다 꽤 귀여울지도 모른다'는 생각을 했다. 동시에 우리 엄마가 나이가 들어도 이토록 사랑받고 있음에 가족으로서 감사한 마음도 들었다.

그런데 엄마와 가족의 영광스러운 40년도 정년퇴직이라는 벽 앞에선 속수무책이었나보다. 40년의 세월이 너무 컸던 것일까? 40년의 무게가 너무 무거웠던 것일까? 아니면 40년 속의 젊은 '영희'는 그저 너무 성실하기만 했던 것일까? 정년퇴직을 한 이후 엄마는 명동 한복판에서 홀로 길을 잃은 외국인 관광객 마냥 어딘가 복잡하고 힘들어 보였다. 앞으로의 당신을 어디로 가도록 해야 하는 걸까. 당신은 무엇을 해야 하는 걸까. 엄마에게선 정체를 명확히 알 수 없는 쓸쓸한 기운이 종종 돌아다녔다. 퇴직 직후 엄마는 마치 이마에 물음표를 붙이고 다니는 사람 같았다. 그런 느낌의 유인에는 엄마가 집에 있는 시간이 많아지면서 하던 고작 몇 마디의 말 때문일지도 모른다.

"나 요즘 사는 게 뭔지 너무 모르겠다."

하루, 이틀, 몇 달을 저 문장을 들었다. 그리고 나는 깨달았다.

'아, 엄마는 집에 있으면 안 되는 사람이구나.'

엄마에게 정년퇴직은 명예로운 졸업장 같은 것이 아니었을 수 있겠다는 생각을 그때 했다. 한 기업에서 정년까지 근무하는 것은 매우 힘든 일이다. 웬만큼 성실하지 않으면 이뤄내지 못하는 일, 그래서 오히려 위대한 일에 가깝다. 그런데 그런 정년퇴직이 엄마에게는 위대함의 증명으로써 존재하기보다는 이 회사에서, 이 사회에서 아직 더 일할 수 있음을 설득하지 못한 채 돌아서게 만드는 오히려 '권고사직'에 더 가까웠을 수 있겠다는 생각했다. 특히 엄마같이 오랜 시간 한 직장에서 일한 사람에게는 그런 마음이 안 드는 게 이상할 수 있겠다 싶었다.

엄마에게 나를 좀 내버려두라고, 간섭 좀 하지 말라며, 뾰족한 말들을 아무렇지 않게 툭툭 뱉던 20대 철부지 취준생 시절이 있었다. 그런데 이제는 내가 좀 엄마를 본격적으로 간섭해 봐야겠다고 생각했다. 그 당시 그런 마음을 먹고 엄마의 입장에서 엄마라는 사람을 이해하려고 나름의 노력을 해보니까 결론은 하나로 귀결되었다. 엄마의 취업을 도와야겠다. 나는 엄마의 새로운 이력서를 완성해야겠다. 나는 엄마의 일자리를 알아봐야겠다. 내가 취준생 시절 받은 것을 되갚는 희한한 형국이지만 적극적으로 엄마를 그냥 내버려두지 않으리라, 전면적으로 간섭 좀 해보리라 마음을 고쳐먹었다.

엄마가 원래 가지고 있던 호탕한 성격과 사람들과 이야기하는 것을 좋아하는 성향을 고려하며 퇴직한 엄마에게 어울릴만한 일이 무엇이 있을까 고민했다. 내가 취업 준비할 때보다 취업 정보 사이트를 더 많이 들락날락했다. 엄마를 위한 일이니까 최대한 양질의 일을 찾아야 했기 때문이다. 그런 고민을 하던 와중 한 유명 영화관에서 티켓 확인이나 영화관 시설 안내를 도와줄 액티브 시니어 직원을 뽑는다는 공고를 보게 되었다. 대기업에서 주관하는 사회 공헌 성격의 일자리였는데, 복지도 좋고 험한 일도 아니었으며 꽤 멋있어 보이기까지 했다. 공고를 보자마자 사람들과 어울리는 것을 좋아하는 본래 엄마 성격과 잘 맞을 것 같다는 생각을 본능적으로 했고, 엄마에게 추천하였다. 엄마도 기분 좋게 해보고 싶다고 했고 엄마는 곧바로 이력서와 자기소개서 작성에 돌입했다. 그렇게 모든 것이 엄마의 정년퇴직 이전의 평탄한 나날들처럼 제 자리에 갈 것만 같았다. 사는 것이 뭔지 하는 감정은 다 옛말이라, 다시 가정의 평화가 올 것만 같았다.

엄마의 자기소개서를 보기 전까지 말이다.

엄마가 쓴 자기소개서를 봐주기 위해 컴퓨터 파일을 열어보고 나는 깜짝 놀라지 않을 수 없었다. 아니 놀라움을 넘어 화가 나기까지 했다. 엄마의 취업 자기소개서에는 내가 대학 시절 학교에서 취업 컨설팅을 받으면서 '이렇게 쓰시면 안 됩니다'라고 했던 것들이 죄다 모여 있었기 때문이었다. 쓰지 말라고 했던 요소는 엄마의 자기소개서에 전부 다 모여 있었고, 제발 썼으면 좋겠다고 생각한 엄마의 장점들은 하나도 보이지 않았다. 자기소개서에 전혀 보이지 않는 우리 엄마 때문에 갑자기 체기가 올라오는 기분도 들었다. 내가 알고 있는 엄마의 수많은 장점과 강점들을 정작 엄마는 이제껏 단 하나도 모르고 있었다는 사실을 알아버린 것 같았다. 엄마의 자기소개서는 나를 너무 화나게 했다.

엄마는 연대기로 아주 길게 당신의 성장 과정을 썼고, 한 직장에서 오래 일한 점을 강점으로, 단지 인생의 2막을 잘 펼치고 싶다는 어린 나에게는 다소 엉뚱하게까지 느껴지는 입사 후 포부를 작성했다. 그런 글을 보자니 엄마의 자기소개서는 그냥 '시켜만 주시면 뭐든 열심히 하겠습니다' 같이 들려서 언짢았다.

우리 엄마는 이런 대우를 받아서는 안 된다.
엄마는 엄마 스스로를 이렇게 취급하면 안 되는 거였다.

머릿속에는 어떻게든 엄마를 이해해 보려는 혼자만의 노력이 판을 쳤다.

'엄마는 엄마를 너무 모르고 살았다는 거지.'

'그래 엄마는 엄마를 너무 모르는 거지.'

'근데 엄마는 엄마가 누구인지 알아갈 시간조차 없을 만큼 바빴던 거야?'

'그래도 말이지. 엄마는 엄마가 어떤 사람인지 40년 동안 들춰볼 새 없이 피곤했던 거야?'

내가 하고 싶은 말들은 머릿속에서 자유롭게 수영하며 언제쯤 입으로 나가버릴까 간을 보고 있었고, 나는 그저 공고 마감일까지 봐달라고 세상 해맑게 말하는 엄마의 말은 흘려들은 채 이걸 어떻게 하나, 나 어떻게 하나, 손톱만 물어뜯었다. 나는 하고 싶었던 말들을 꾹꾹 참은 채 언니와 머리를 맞대기로 했다. 언니와 함께 엄마의 자기소개서를 바꾸리라, 아니 바꿔 주리라 다짐했다.

그 집 세 명의 최씨들은
그 박씨 한 명을 사랑하지

우리 가족은 엄마를 물심양면 돕기로 했다. 서울에 살지만 살가운 그 흔한 사랑 표현도 "가족끼리 와이라노"하며 잘 못하는 그런 가족. 상남자, 상여자들만 있는 우리 집에서 우리들은 꽤 진심이었다. 우리들은 진심으로 엄마를 사랑하고 있음이 분명하다.

엄마가 옛날부터 입에 달고 다니던 말이 있다. 그건 바로 '최 씨 고집, 똥고집'이라는 것이다. 엄마를 제외한 우리집 식구들은 모두 '최 씨'기에 엄마는 늘 나머지 식구들에게 마음에 들지 않는 일이 생길 때면 '최 씨들은 모두 똥고집'이라고 했다. 어릴 때는 하도 많이 들어서 그게 진짜 과학의 법칙인 줄 알았다. 장난감을 사주지 않는 엄마에게 최선을 다해 땡깡을 부리는 일에도 "최 씨라서 그래! 사줘!" 하며 박박 우기기도 했다. 우리집 최 씨 중 가장 졸병인 나는 지금에서의 생각이지만 이 말이 반은 맞고 반은 틀렸다고 생각한다. "그래 우리 고집이 있는 것 맞는데, 인간답게 그 똥은 좀 빼줘. 휴머니즘을 갖자." 가히 졸병다운 답변으로 넘긴다.

최 씨 똥고집 이야기를 왜 하느냐. 바로 이 고집이 최고로 발현된 때가 엄마의 자기소개서를 고쳐주고 취업을 응원하는 때였기 때문이다. 우리집 최 씨 세 명은 각자의 자리에서 박 씨를 위해 최선을 다했다. 아버지는 엄마가 우울해 보일 때면 강화도로, 인왕산으로 발이 닿는 곳 어디든 같이 여행을 다녔다. 엄마의 취업 활동은 하얀 런닝과 반바지 차림의 소파 위 널브러져 있는 주말 중년남성의 단잠도 날려 보냈다. 엄마의 일이라면 아버지는 귀찮아도 운전대를 잡고 드라이브했다. 그리고 일도 더 많이 하셨다. 엄마가 쉬지 않는 것이 혹여나 당신의 탓일까 봐 그러시는지는 정확히 알 수는 없었지만, 더 열심히 일하시고 하루를 보내신 것 같았다.

그리고 아버지는 매일 아침, 밥을 지었다. 우리 집에서 아침밥을 짓는 사람은 엄마가 아니다. 식구들을 위해 쌀을 씻어 압력밥솥에 아침밥을 앉혀놓는 사람은 지금까지도 아버지다. 아버지의 표현 방식이 우리 식구들 하루의 '가장 첫 밥'이라서 좋다. 돈보다도, 값비싼 물건보다도 더욱더 클래식하고 근사한 응원 같아서 역시 아버지는 노련하다고 생각한다.

나와 언니의 역할은 엄마의 자기소개서를 거의 새로 쓰는 마음으로 고집 있게 고치고 또 고치는 일이었다. 내가 잘 고치지 못한 매끄럽지 못한 문장이나 표현은 언니가 아주 부드럽고 좋은 문장으로 멋지게 고쳤다. 언니는 엄마의 좋은 점을 부각할 수 있는 멋진 표현을 알고 있었고, 한 장짜리의 자기소개서를 보고 엄마가 충분히 어떤 사람인지 잘 드러내게 하는 그런 언어들을 뚝딱뚝딱 만들어냈다. 그렇게 언니와 나는 무슨 기업에서 수주를 따내야만 하는 사람들인 것처럼 몰두했으며, 한 장의 자기소개서를 위해 주야장천 신경 썼다.

이 과정은 순탄하기만 한 것은 아니었다. 언니와 나조차도 엄마를 잘 모르는 부분이 꽤 있었기 때문이다. 예를 들면 엄마가 일했던 구체적인 경력 분야라든지, 일에서의 특별한 일화라든지 그런 부분들은 살면서 굳이 엄마에게 물어본 적도 없으며, 엄마도 우리에게 일에 대한 것들은 먼저 말하지 않았다. 또한 우리 기억 속의 엄마는 항상 야근을 했으며, 오후 9시 전으로 집에 온 적은 손에 꼽았다. 엄마의 회사는 엄마를 데리고 잘 놓아주지 않았다. 엄마가 높은 자리에 올라가면 올라갈수록 엄마의 바쁨은 증가했다. 엄마는 항상 곁에 없는 사람, 내가 기다리다 잠을 못 이겨내면 오늘 저녁보다는 하루가 지난 다음 날 아침에서야 얼굴을 볼 수 있는 그런 사람에 가까웠다.

그런 엄마를 보며 내가 7살이나 8살쯤 먹었을 무렵에는 아주 단순하게 '엄마가 보고 싶다는 이유'로 아빠와 언니 앞에서 운 적도 많다. 아니, 울었다기보다 통곡이란 표현이 더 어울릴 정도였다. 아무튼 그런 엄마의 당시 최악의 워라벨(Work & Life Balance의 준말. 일과 삶의 균형) 때문인지, 아니면 어느 순간 무신경하게 자라버린 나 때문인지는 모르겠지만, 우린 사실 꽤 서로를 잘 모르고 살던 세상 속에 있던 것이 분명했다. 언니와 나는 엄마를 더 잘 표현하기 위해, 그리고 엄마의 취업을 돕기 위해 엄마를 잘 알아야 했다. 거기에는 엄마와 많은 대화를 필요로 했다.

밥을 먹다가도 엄마에게 불현듯 질문했다.

"어머니, 40년 동안 일하시면서 어떤 때 가장 보람이 있으셨어요?"

하릴없는 휴일, 가만히 텔레비전을 보고 있는 와중에도 싱겁게 엄마에게 질문했다.

"박 여사님, 전화국에서 일하실 때 어떤 것이 적성에 맞으셨어요?"

그러다가 그냥 여느 가족처럼 시시콜콜한 질문들을 던졌다.

"어머니, 어머니는 무엇을 가장 좋아해요?"
"엄마, 엄마는 뭘 할 때 가장 즐거워요?"
"엄마, 엄마는 무슨 색깔을 좋아해?"
  ...
"김치찌개가 좋으세요? 된장찌개가 좋으세요?"

처음에는 엄마의 취업을 위한 질문들만 엄마에게 던졌다. 수많은 질문을 하다 보니 꼭 취업을 위한 대화만 해야 할 필요가 없음을 느꼈다. 나와 언니는 엄마와 많은 대화를 할수록 엄마라는 사람 자체에 대해 알아갔다. 엄마는 우리가 생각하는 것보다 우리 가족에 헌신적이었고, 착한 사람이었다. 엄마의 40년 커리어 이야기는 우리가 상상한 것보다 당신은 더 용감했고, 대담했으며 대단했다는 사실을 알려주었다. 또 예쁜 꽃을 좋아하며 가끔은 고운 원피스를 입고 싶다는 엄마의 취향은 '영희'라는 당신의 그 이름만큼이나 당신이 빛나고 있으며 사랑이 많은 귀여운 사람이라는 것을 알게 해주었다.

이런 대화를 하며 엄마가 처음 작성한 자기소개서를 다시 보았다. 누군가 내 머리에 불을 켜 아주 환하게 진짜를 보여주는 느낌이 들었다. 엄마의 자기소개서에서 '자기소개서는 이래야만 해'라는 고정관념에 매몰된 '내 자신'이 보였다. 엄마에게 뭘 안다고 까불었는지 내 자신이 부끄러웠다. 그리고 사실 자기소개서 하나가 뭐가 그렇게 심각한 과제라고 호들갑인지 엄마 입장에서는 큰일이 아니었을 것 같다는 생각도 들었다. 묻는 항목별 정직하게 답했는데 왜 딸들은 마음에 들지 않는다고 하는지, 엄마에게는 이해하기에 어려웠겠다고 생각했다. 생각해 보면 취업 자기소개서에 정답이란 것도 없기 때문이다. 엄마와의 대화는 그동안 내가 엄마에 대해 꽤 오만했음을, 그리고 사실 엄마를 꽤 존경하고 있음을 깨닫게 해주었다.

엄마가 처음에 작성한 엄마의 서사가 깃든 성장 과정도, 40년 근속이 강점이란 점도, 이번 일이 인생의 2막으로 멋지게 열겠다는 포부도 틀린 말이 아니다. 모두 정확하게 맞는 말이다. 타인의 인생을 인사담당자는 어떤 식으로 판단하고 평가하는지 알 수 없지만, 한 개인의 서사를 솔직하게 써 내린 성장 과정에는 거짓이 없다. 40년 근속은 그 사람의 성실성과 근면함, 믿음직함을 보여주는 아주 커다란 장점이다. 또한 내 인생 2막을 다른 곳이 아닌 이 회사에서 열고 싶다는 말은 어떻게 보면 기업 입장에서 굉장히 감사하고 감동적인 부분이다.

헤르만 헤세의 책 〈데미안〉에서는 많은 사람들이 기억하는 유명한 구절이 나온다.

"새는 알에서 나오려고 투쟁한다.
알은 세계이다.
태어나려는 자는 하나의 세계를 깨뜨려야 한다."

긴 퇴고의 시간은 마치 나에게도, 같이 첨삭한 언니에게도, 그리고 당사자인 엄마에게도 부단히 알에서 나오려고 투쟁하는 시간 같았다. 마치 각자를 둘러싼 무형의 어떤 껍질들이 고통스럽게 벗겨지는 시간이었다. 엄마의 자기소개서로 우리들은 성장했다. 태어나서 처음 써보는 요즘 시대의 자기소개서는 누구보다 엄마를 더 힘들게 했을 것이다. 그럼에도 불구하고 엄마는 엄마를 정확하게 표현하기 위해 함께 오랜 시간을 공들였다.

자기 자신을 아는 일은 고통스러운 일이 분명하다. 자기 자신을 외면하지 않고 있는 그대로 알아가는 과정은 고통스러운 일이 분명하다. 더군다나 담백한 문장의 글로써 자신을 표현하는 일은 더더욱 고통스러운 일이 아닐 수 없다. 살아온 지난 고귀한 세월을 '난 당신이 누구인지 모르기 때문'이라는 이유로 단 한 장의 문서로 서술하라는 것은 어쩌면 인간이 다른 인간에게 건네는 조금은 치사스럽고 특이한 행위 중 하나가 아닐까 싶기도 하다. 어쨌든 엄마는 그런 고통스러운 일을 나이 육십이 넘어서 했다. 딸이 할 말은 아니지만 엄마는 성장했다. 육십이 넘어서도 엄마는 성장한다. 그리고 엄마가 겪은 그 고통은 합격으로 이어졌다.

엄마는 취업했다.
엄마는 영화관 안내 액티브 시니어 직원으로 재취업했다.

취업을 한 후 엄마는 전처럼 밝게 지냈고 동료 시니어 직원 분들과도 잘 지내셨으며, 웃는 날이 아주 많아졌다. 엄마는 매일 아침에 일어나서 갈 데가 있다는 것이 즐겁다며 전보다 훨씬 행복한 얼굴로 출근하셨다. 엄마는 영화를 보러오는 손님을 맞이하는 것도 신나고, 일을 한다는 것 자체가 신이 난다고 했다.

엄마의 그 말에는 정말로 거짓이 없었다. 언니와 나는 영화를 보러 엄마가 일하는 영화관을 함께 간 적이 있다. 그 곳에서 본 엄마는 아주 밝은 목소리로 손님을 응대하고 있었고, 젊은 사람들도 헷갈릴 수 있는 미로 같은 영화관 위치를 구석구석 파악하고 있어서 사람들에게 쉽고 친절하게 길을 안내하고 있었다. 언니와 나는 그런 엄마를 자랑스럽고 흐뭇하게 바라보았고 멀리서부터 "오마니!"하고 부르며 달려가 인사를 나눴다. 새로운 일터에서 편안해 보이는 엄마의 모습이 참 보기가 좋았다. 누가 엄마를 관찰 예능처럼 카메라로 찍어주지 않는 이상 자식이 엄마가 일하는 모습을 볼 수 있는 일은 드물 것이다. 엄마의 취업 덕분에 그 드문 일도 경험했다. 엄마가 열정적으로 일하는 모습을 보니 신기하기도 하고, 어딘가 코끝이 찡하기도 하며, 마음속 깊은 곳에서는 출처 모를 경외감도 느껴졌다.

어쨌든 엄마는 그렇게 취업했다.

엄마의 강렬했던 첫 취업 준비는 내게 깊은 두 가지 깨달음을 남겼다. 나이가 들어서 취업하는 것은 고통스러워도 해볼 만한 것이라는 사실, 그리고 우리 가족은 각자의 방식대로 서로 사랑하고 있다는 변함없는 사실 말이다.

온 힘을 다하여
아름다운 길을 걸어가고 있는 당신께

그래서 이제 우리 엄마는 더 이상 취준생이 아닌 것일까?
엄마는 이제 무엇일까?

싱겁지만 답은 '엄마는 여전히 취준생'이다.

엄마가 여전히 취준생이라고 해서 우리 엄마의 스토리가 슬픈 결말은 아니다. 아쉽게도 엄마의 영화관 일은 계약기간이 있는 일이었다. 코로나 팬데믹 이후 영화관은 축소 고용을 했다. 아무리 유명한 서울 한복판의 대기업 영화관이라고 해도 팬데믹 앞에서는 매일매일 그 기능과 가치를 시험받고 존폐의 위기를 겪었다. 뉴스와 신문은 앞다투어 오늘은 어느 회사와 소상공인, 자영업자들이 위기를 겪고 있네, 청년 취업은 더더욱 힘들어지고 있네, 경기는 어렵네 하며 보도했던 시절이다. 회사가 더 많은 인원을 고용해 줄 만큼 사람들은 팬데믹 기간에 영화관을 가지 못했다. 또한 사람이 노동력을 제공하던 많은 부분에서 키오스크 시스템이 도입되었고 젊은 아르바이트 직원들도 재고용되지 않았다. 하물며 엄마처럼 중년의 시니어 직원은 오죽할까. 엄마는 계약기간까지 성실하게 근무했고 재계약은 없었다. 엄마는 즐겁게 일했고 아쉽지만 즐겁게 퇴사했다.

　그럼에도 불구하고 엄마는 예전처럼 심각하게 사는 의미를 찾아 헤매지 않는다. 적어도 예전만큼은 아니다. 엄마는 이 일 이후 다양한 분야에 계속 도전했고 계속 취업했다. 취업 분야도 다양하다. 동네 키움센터(아이 돌봄센터)에서 아이들 활동을 보조하거나 지도하는 일을 하기도 했고, 안전 문제가 걱정되는 거리 노숙인들을 관할센터로 안내하는 구청 사회복지과 보조 일을 하기도 했고, 구청에 등록된 실제 자영업 점포가 폐업한 것은 아닌지 조사하는 사회조사원 일을 하기도 했다. 대부분의 평범한 시니어 세대를 위한 일들이 그렇듯 이 일들은 모두 계약직이었는데, 그래도 엄마는 성실히 계약기간을 다 채우고 아름답게 일을 종료했다.

엄마는 계속해서 취업한다. 엄마는 계속해서 일을 한다. 계속해서 새로운 일에 도전하신다. 기간의 정함이 있는 계약직 일이어도 당신의 주어진 일에 최선을 다한다. 최선을 다하고 후회 없이, 미련 없이, 미워하는 마음도 없이, 그저 아낌없이, 그렇게 할 일을 다 하시고 일을 종료한다.

또한 엄마는 이제 언니나 나에게 자기소개서 첨삭을 부탁하지도 않는다. 이제 엄마는 자기소개서쯤은 경력이 있다는 듯 곧 잘 쓰신다. 엄마는 자기소개서를 쓸 때도 면접을 볼 때에도 과거의 시켜만 주시면 다 할 수 있을 것 같은 수동적인 자세에서 탈피해 적극적으로 본인의 장점을 부각하여 표현한다. 예를 들면 '나는 ~한 것들을 잘합니다.', '나는 ~한 것들에 익숙하고, 숙련되어 있습니다.', '나는 ~한 자세로 함께 있는 사람과 긍정적인 경험을 만듭니다.' 등 엄마의 장점을 표현하고 다른 사람들 앞에서 그렇게 표현함에 있어서 주저하지 않는다. 나는 이렇게 변한 엄마가 좋다.

사실 엄마가 이렇게 변하기까지에는 숱한 마음의 생채기가 있었다. 하루는 엄마가 모 스포츠센터의 골프장 수업스케줄 관리 일의 면접을 본 적이 있었다. 면접을 보고 와서는 그 속상한 마음을 푹 꺼지는 한숨과 함께 이야기했었다.

"왜 그러세요? 면접을 잘 못 보셨어요?" 내가 물었다. 엄마는 면접은 자신감 있게 잘 봤다고 했다. 그런데 면접관으로부터 불쾌한 질문을 받아서 마음이 좋지 않다고 했다. 면접관이 엄마에게 "저기 선생님, 근데 눈은 잘 보이세요? 일 하실 수 있겠어요?"라고 조롱 섞인 말로 물었다고 했다. 누가 들어도 선을 넘는 질문이었다. 면접은 구직자가 일을 잘 할 수 있을지 파악하는 자리이지, 면접관이라는 직책을 권력 삼아 구직자에게 상처가 되는 말을 하는 자리가 아니다. 엄마는 불쾌했지만 그 마음을 숨긴 채 차분하게 잘 보인다고 대답했고 면접을 끝냈다고 했다. 나는 엄마가 무례한 질문을 받아도 당신 스스로 건강하다는 것을, 그래서 충분히 일할 수 있음을 설명하는 일이 더 속상했을 것 같아 내내 마음이 아팠다.

스포츠센터 골프장 대표로부터 일을 하라고 합격 연락을 받았지만 엄마는 가지 않겠다고 했다고 한다. 그리고 면접에서 있었던 일을 차분히 말했고, 엄마는 사과를 받았다. 대표가 그런 일이 있는 줄 전혀 몰랐다고 너무 죄송해하며 연신 사과했다고 한다. 엄마가 사과받았다는 말을 듣고 나서는 나의 속상함도 조금은 풀렸다.

여전히 엄마가 겪었을 그날을 떠올리면 그냥 저절로 마음이 아려오는데, 그때 우리 엄마는 얼마나 마음이 아팠을까.

엄마를 보며 인생의 경험들이 모두 공부라는 생각이 든다. 엄마의 이야기를 들으며 간접적으로 경험하는 모든 것들은 나에게도 큰 자극이다. 그리고 엄마라는 한 인간 자체를 곁에서 보고 겪는 것도 나에게 큰 배움이다. 엄마는 끊임없이 공부한다. 엄마는 이제 취업만을 위한 삶을 살지도 않는다. 취업을 하지 않고 쉬는 기간에도 자격증을 위한 공부를 하거나 책을 읽거나 뭘 배우러 다니신다. 최근에는 문화센터에서 장 담그기 강의가 있다고 가시더니 아주 맛있는 고추장을 만들어오셨다. 배움을 통해 활짝 펴지는 엄마의 얼굴을 보면 엄마가 얻은 것은 고추장뿐만은 아닌듯하다. 엄마가 자기소개서에 처음 썼던 당신이 원했던 '인생의 2막'을 지금 살고 있는 것이 아닐까, 감히 생각한다. 엄마 생각은 다를지 몰라도 말이다.

엄마 옆에서 나는 많이 배운다. 나와 다르다고 생각했던 상황이나 사람, 현상들의 입장과 처지를 알아가는 것, 그리고 그 모든 것들을 존중해야 하는 것을 엄마를 통해 배우고 있다. 엄마의 취업 과정을 옆에서 지켜보면서 나는 우리나라 60대분들의 정년퇴직 이후 삶에 대해 알기 위해 다큐멘터리도 많이 찾아보고 신문 기사들을 보며 공부했다. 엄마의 입장을 조금이나마 이해하기 위한 아주 작은 움직임이겠지만 이마저도 하지 않았다면 나는 엄마나 엄마 또래 정년퇴직자분들의 심정을 진심으로 이해하지 못했을 것이다.

나는 종종 엄마한테 우스갯소리로 "나는 키가 크고 늘씬~하니까 정년퇴직하면 시니어 모델할거야! 생긴 것도 난 딱 모델과야. 어때? 어떻게 생각하세요?"라고 말할 때가 있다. 나도 언젠가 엄마의 나이가 될 것이다. 나도 언젠가 엄마처럼 정년퇴직을 할 것이다. 나도 언젠가 엄마처럼 인생의 2막에 대해 고민하는 때가 반드시 올 것이다. 그리고 그것은 '인간은 늙는다'와 같은 불변의 진리라는 걸 알기에 쓰지만 보약처럼 삼키고 명심한다. 그리고 되도록 심각해지기보단 유머러스하고 유쾌한 자세로 받아들이려고 한다. 예를 들면 엄마가 "은진아 글쎄 구청 공공 일자리 10명 뽑는데 글쎄 70명이 지원했다더라! 이래서 취업 성공 하겠나!" 하시면 조용히 "어.... 라디오에서 그러는데 성공하려면 서울 000 대학을 가라던데요? (언니와 나 동시에) 서울 000 대학을 다니고 나의 성공시대 시작됐다~"하며 조용히 광기의 노래를 부른다.

엄마가 정년퇴직하고 60대에 취준생이 되면서 비로소 엄마의 처지를 이해해 보려고 비뚤어진 자세를 고쳐먹었다. 엄마가 취준생이 되면서 나는 비로소 엄마 또래의 우리 주변 평범한 어른들에 대해서 보다 진심을 담은 존경심이 생겼다. 나이 불문 한 인간이 성취를 위해 끊임없이 도전하는 것은 얼마나 아름다운 일인지, 그 참된 가치를 엄마와 한 집에 살면서 한 공기로, 피부로 처절하게 느끼고 있다. 엄마의 취업 과정을 보며 버겁다고, 귀찮다고 쉽게 포기했던 지난날의 내 자신도 반성했다.

"태어나는 것은 언제나 어려운 일이지요.
새도 알을 깨고 나오려면 온힘을 다해야 한다는 걸 당신도 잘 알잖아요.
돌이켜 자신에게 한번 물어보세요.
대체 그 길은 그렇게도 어려웠던가?
그저 어렵기만 했던가?
그러나 역시 아름답지는 않았는가? 하고 말이에요.
당신은 보다 더 아름답고도 쉬운 길을 알고 있나요?"

헤르만 헤세의 소설 〈데미안〉에서는 이렇게 말한다. 이 말은 데미안의 어머니인 에바 부인이 주인공 싱클레어에게 하는 말이지만, 지나왔던 시간에 대하여 힘들지만 돌이켜보면 아름답지 않았냐고 내게 위로해 주는 것 같아서 좋아하는 구절이다.

난 아직도 엄마의 시절들이 자랑스럽다. 엄마가 영웅담처럼 늘어놓는 '초코파이 두 개로 하루를 버티고 일을 성사한 설'도 이제는 제법 좋아하는 나만의 전래동화이다. 엄마가 '언니를 맡길 곳이 없어 업고 출근했다는 설'도 이제는 어린 시절 반드시 읽었어야 할 해리포터 시리즈처럼 느껴진다. 가끔은 살짝 자제를 해도 괜찮을 법한 외삼촌들과 이모의 엄마 칭찬도 여전히 나는 자랑스럽고 좋다. 우리 집 책장 한쪽에 잘 전시된 요즘 사람들은 잘 모르는 수두룩하게 빽빽한 공중전화카드도 좋다. 80, 90년대 당대 최고 스타들의 사진이, 예를 들면 가

수 핑클이라든가 최진실, 최지우 같은 배우가 "전 항상 공중전화를 이용해요!" 또는 "국제전화는 001!"라는 문구와 함께 공중전화카드에 화려하게 프린트 되어있다. 이런 것들은 엄마의 추억이기도 하지만 나의 추억이기도 하다. 엄마의 시절을 알려주는 대표적인 상품이기도 하지만 가본 적은 없으나 가보고 싶은 엄마의 치열한 시간에 대한 나의 향수이기도 하다.

시간을 묵묵히 살아간다는 것은 위대한 일이다. 엄마가 태어난 이후 온 힘을 다하지 않았던 때가 있었을까? 엄마뿐만 아니라 엄마의 세상 주변 모두가 각자의 시절을 묵묵히 지켜내고 각자의 자리에서 온 힘을 다했을 것이다. 엄마의 아름다운 시절들은 모두 엄마의 최선으로 온 힘을 다해 살아왔기에 찬란하고 빛났을 것이다. 엄마의 정년퇴직 이후의 삶도 그럴 것이다. 엄마의 지금도 그럴 것이다.

엄마를 바라보며 돌이켜 나에게도 한번 물어본다. 내가 지나온 길들은 그렇게도 어려웠던가? 그저 어렵기만 한 일이었던가? 그러나 그 역시 아름답지는 않았던가? 하고 말이다. 나는 내가 지나온 길만큼 더 아름답고 쉬운 길은 알지 못한다. 그 길목 모퉁이 하나하나에 나의 노력과 애정, 그리고 온 힘을 다했던 시절이 고스란히 그때 모습 그대로 있기 때문이다. 그래서 엄마가 계속 도전하는 것처럼 나이가 들었다고 주저하지 않고, 나이가 들었다고 포기하지도 않을 것이다. 쉽지는 않지만 온 힘을 다하여 걸어가는 이 길, 나만의 길보다 아름다운 길은 영원토록 모를 것이기 때문이다.

　글을 마치며, 엄마를 포함한 단군 이래 각자의 최대치로 온 힘을 내는 모든 취준생이 아프지 말고 행복하길, 그리고 훗날 지금을 돌이켜 보면 지나온 여정은 모두 찬란하고 아름다운 길이었길 소망해 본다.

　1958년 7월 7일. 엄마가 태어났다.
　그리고 2018년 8월 1일, 엄마가 정년퇴직한 그 날.

　엄마는 분명 세상에 한 번 더 태어났을 것이다.

불량품

이소미

이소미　　　1996년 경기도에서 태어났다. 혈액종양내과에서 일을 하다 정신과 간
　　　　　호사로 3년간 일했다. 정신전문요원 2급을 수료하며 다양한 정신과 환
　　　　　자들에게 간호와 상담을 하고 있다. 그림과 글쓰기의 취미를 가지고
　　　　　있으며, 가장 좋아하는 계절은 봄이다.

봄

고백하건대 저는 용서받을 수 없습니다.

어려서부터 저는 삼 남매에서 모두에게 꽤나 귀여움을 받는 막내였습니다. 첫째 누나와 둘째 형과 나이 차이가 있는 막둥이라 어떠한 사고를 쳐도 그저 어르신들은 "허허 경민이 그놈 참 당차구만", 혹은 "아직 애가 어려서 그래. 그러면서 크는 거지. 크면 그놈도 다 효자 노릇 하며 살 거야"하고 웃으며 귀여워하였습니다. 그러기에 어려서부터 저에겐 모든 일이 쉬웠고 생각해 보면 누나와 형에 비해 다소 시건방지게 삶을 바라본 것이 아닌가 싶습니다.

어느덧 17세가 된 저는 자주 머리가 아프다며 칭얼거렸고, 쉽게 피곤하다며 친구들과 놀다가도 금세 지쳐 집에 들어갔습니다. 그 해 저는 학교에서 주기적으로 받는 검사를 통해 '1형 당뇨병'을 가지고 있다는 것을 알았고, 집에서는 제게 더욱더 큰 관심을 주기 시작하면서 철없이 '당뇨란게 뭔지 모르겠지만 나쁘지 않네'라며 어깨를 으쓱하며 특별한 존재가 된 것만 같아 기분이 좋았습니다. 그 알 수 없는 뿌듯함도 잠시, 혈당 조절을 위해 인슐린 주사를 주기적으로 맞았고 맛도 없는 저혈당 식단으로 음식을 먹다 보니 속이 울렁거려 부모님 몰래 목구멍에 손가락을 꾸역꾸역 넣어 토를 반복해서 했습니다. 어린 나이부터 꾸준히 인슐린 주사를 맞아야 했고, 맛없는 밥을 먹는 것은 제게는 너무나도 끔찍한 시간이었습니다. 그나마 부모님 몰래 토를 하고 나면 답답함에서 해방되는 느낌이 들다 못해 시원한 느낌이 들었습니다. 너무 반복해서 토를 한 탓일까요, 울렁거림은 더욱 더 잦아졌고, 위산이 계속해서 역류하여 속이 쓰리기까지 했습니다. 어린 나이에 병을 달고 산다며 가족들 뿐만 아니라 주변에서 저를 볼 때면 안타까운 시선을 먼저 보내었습니다. 가족들의 아픈 손가락이었던 저는 가족들의 가장 큰 관심 대상이었고, 저는 더욱더 특별한 존재라고 생각하며 철없이 자랐던 것 같습니다.

그렇게 시간이 지나 저는 어느덧 성인이 되었고, 주변 사람들은 저의 모든 것, 모든 행동을 용인해 주고 묵인했는데 이러한 삶이 성인이 되어서도 지속될 줄알았나 봅니다. 기대와는 달랐던 첫 직장에서는 온갖 질책과 날카롭게 저의 가슴을 후벼 파는 상사의 깊은 한숨, 한심하게 저를 쳐다보는 선임 등의 것들이 저를 괴롭혔습니다. 그 모든 것들은 저에게는 청천벽력과도 같았습니다. 동기들의 위로에도 느려터지고 일머리가 없는 저는 아무 의미 없는 위로 따위로는 일어설 수 없었습니다. 저는 숨이 탁 막혔고 높고 단단한 벽을 느꼈습니다. 그렇게 하루하루 스스로를 옥죄이다 버티지 못하고 도망치듯 첫 직장을 나와 버렸습니다. 그때 저에게 기대가 컸던 가족들은 괜찮다며, 그럴 수 있다며 진심으로 다독여 주었습니다.

가족의 힘에 용기를 얻은 저는 무모하게 젊은 패기 하나로 모두에게 큰소리를 떵떵 쳤습니다. 그때는 한낱 애송이였다, 한 번 겪었으니 이제는 다를 것이라며 그렇게 두 번째 직장에 들어가게 되었습니다. 처음 몇 년 동안은 다소 순조로웠습니다. 제게 온갖 비난을 퍼부어도, 유치원은 나온 것이냐며 얼굴에 침이 튀기도록 모욕을 들어도 그저 잔잔한 미소를 띨 수 있는 경지에까지 이르렀습니다. 입가에 천천히 웃음을 띠며 웬만하면 들썩거리는 눈썹을 둥글게 굳힌 채 기묘한 표정을 보이면서 말이죠.

그런데 뭐랄까, 저는 끝내주게 대단한 사람이 될 줄 알았는데 말이죠, 제가 한낱 부품에 불과하다는 것을 뼈저리게 느꼈습니다. 겉으로는 늘 밝게 웃고 있었지만 속으로는 스스로를 너무 새까매 보이지도 않는 어둠 속에 처박고 있었습니다.

매일 반복되는 하루, 같은 사람, 같은 장소. 저도 모르게 까맣게 속이 타들어가는 지도 모르고. 다들 그렇게 살지 하며 하루를 살았습니다. 그런데 어느 순간부터 저에게 들려오는 작은 속삭임들이 모여 모여 큰 구를 만들어 제 귀 안에서 이리저리 굴러다니며 저를 괴롭히기 시작했습니다. 잠에 들기까지 수많은 시간이 필요했고 조용히 눈을 감고 누워있자면 빠르고 큰 저의 심장 소리가 저의 목을 죄여 오기 시작했습니다.

큰 소리로 수군거리는 사람들, 말도 안 되게 늘어나는 업무, 한쪽 입을 씰룩거리며 저에게 쏟아지는 폭언들. 거기까지는 제가 참을 수 있었습니다만 하나둘씩 떠나가는 저의 든든한 동기들의 모습을 보며 저는 대차게 패배하여 힘없이 백기를 흔들어 보였습니다. 그렇게 저는 또 한 번 가족의 기대에 미치지 못하고 세상에서 가장 볼품없는 모습으로 가족들 앞에 나타났던 것입니다. 그때 그들의 한껏 일그러진 표정으로 저를 위아래로 훑는 차가운 눈빛에 저는 무(無)가 되었습니다.

생각하면 할수록 '나'란 것을 알 수 없어졌고, 저 혼자 세상 별난 놈인 것 같아 불안과 외로움에 조금씩 저를 세상으로부터 숨기게 되었습니다.

저는 인간을 혐오하면서도 두려워하게 되었던 것 같습니다. 그렇게 저는 다 늙은 부모님에게 빌붙어 살게 되었습니다. 제가 어려서부터 극도로 혐오했던 그 존재가 되어버렸습니다. 부모님은 방 안에 틀어박혀 아무것도 하지 않는 다 큰 놈을 보며 불쾌한 표정을 짓기 일쑤였습니다.

부모님은 그런 저를 향해 '젊은 놈이 의지가 약해서 어디다가 써먹느냐 쯧쯧 한심한 놈'하며 얼굴을 잔뜩 구기셨고 마땅치 않다는 듯 혀를 크게 딱딱 찼습니다. 저는 그동안 터득한 철면피같이 서글서글한 웃음을 선보이고는 조용히 방에 들어가서는 주먹을 꽉 쥔 채로 혼자 부들거렸습니다. 제 가장 깊은 곳에 자신에 대한 절망감과 비참함, 그리고 분노감을 똘똘 뭉쳐 놓아 작은 원을 만들어 상자 안에 꼭꼭 숨겨 놓았습니다.그때부터 울렁거림은 더욱더 심해졌고 토를 하는 날이 잦아졌습니다. 속 쓰림이 너무나도 심해져 목구멍을 낫으로 긁어대는 느낌과 위산의 쓴 맛이 코 끝까지 전해져 저를 괴롭혔습니다. 위산 보호제를 아무리 먹어도 먹고 토하는 일이 잦아속 쓰림을 달고 살게 되었습니다.

　차갑고 시린 바깥공기가 어느덧 코끝에 향긋한 봄내음이 찾아왔을 때입니다.
　어머니는 갑자기 가슴 한쪽이 욱신거리며 뭔가가 만져지는 것 같다는 말에 저는 무심하게 병원을 가보시라 했으나 어머니는 "피곤해서 그런 것이다, 푹 자고 나면 괜찮아질 것이야. 너는 신경 쓰지 말고 너 일이나 봐라."라며 차갑게 말씀하셨습니다. 안 그래도 제 걱정에 뒤척이며 잠도 편히 못 주무시던 어머니는 산발적으로 나는 통증에 더욱더 몸을 뒤척였습니다.
　그렇게 며칠 동안 어머니는 쉬이 잠에 들지 못하셨고 온몸이 두들겨 맞은 것처럼 심하게 아파 급히 어머니를 모시고 병원에 다녀왔습니다. 여러 검사 끝에 어머니는 일주일 후 유방암 3기 진단을 받고 그때부터 항암치료를 받기 시작했습니다. 하루가 다르게 항암치료를 받으며 무척이나 수척해지신 어머니의 뒷모습을 보며 아무것도 해드릴 수 없는 저는 가슴이 파이는 것 같았습니다. 하얗고 풍성하게 곱슬거리던 어머니의 머리는 한 움큼씩 우수수 빠지기 시작했고 "횅한 내 머리가 꼴 보기가 싫다"며 실밥이 풀려 너덜거리는 모자를 푹 눌러쓰셨습니다.

계속되는 항암치료와 입원비, 그리고 제 치료비를 내기 위해 삼 남매는 돈을 모았어야 했으나 일을 하고 있지 않은 저를 제외하고 이를 누나의 딸아이 대학등록금으로 모아 놓은 적금을 깨고 나서야 겨우겨우 충당할 수 있었습니다.

"너는 신경 쓰지 말고 어서 취직 준비나 다시 해. 네 나이 30대면 이젠 다시 취업하기, 그거 쉬운 일 아니다. 그래도 그게 어머니, 아버지 돕는 길이야. 부모님은 나랑 준형이랑 케어할 테니깐."라며 누나는 제 어깨를 가볍게 토닥여 주었습니다. 어려서부터 아팠던 저는 일찍이 집안일에서 제외되었고, 직장까지 없는 저이기에 가족들은 언젠가부터 저를 볼 때마다 안타까움과 한심하다는 눈빛을 먼저 보였습니다.

그 날 만큼은 저도 모르게 웃음과 울음이 기괴하게 섞인 섬뜩한, 스스로도 알 수 없는 표정을 지어 보였습니다. 누나의 말은 제 눈을 참아리고 쓰라리게 하였습니다.

이 무슨 하늘의 장난인가, 종교를 믿지 않는 저조차도 이는 하늘의 노여움을 산 것이 틀림없다며 크게 원망을 하였습니다. '병든 사람은 저로 충분하면 되지 않는 것인가요, 어째서 어머니까지 힘들게 하는 건가요. 저 하나로 이미 괴로운데 어머니에게까지 이 고통을 주시면 저희 가족은 어떻게 살라는 건가요.'

답답한 마음에 오랜만에 집 밖을 향해 터덜터덜 걸어보니 따스한 햇볕이 제 얼굴을 스쳐갔고 얼마 만에 맑은 공기인지 탁한 공기로 저를 숨 막히게 한 것들이 저의 폐를 한껏 시원하게 씻어주었습니다.

해맑은 순백의 아이들이 까르르 소리 지르며 달려가다 제 다리에 부딪혔고 이에 저는 힘없이 차가운 바닥에 털썩 주저앉았습니다.

"괜찮으세요 아저씨?"

맑고 깨끗한 눈을 한 아이가 걱정이나 된 듯 제 눈을 빠안히 보고 있는 모습을 보자니 저는 촉촉하게 젖은 제 눈을 어린아이에게 차마 보이기 부끄러웠나 봅니다. 저는 재빠르게 아이의 작고 귀여운 단풍잎 같은 손을 뿌리치고 도망갔습니다.

그렇게 얼마나 걸었을까, 오늘따라 집에 선뜻 발걸음이 향하지 않아 집에서부터 한참 멀리멀리 떨어진 길을 한참이나 비척비척 걸었습니다. 조금씩 정신을 차리고 걸었을 때는 집에서 꽤나 먼 거리를 걸어왔음을 알아차릴 수 있었습니다. 주위의 전등이 하나둘씩 켜지기 시작했고 살을 에는 듯한 차가운 바람이 조금씩 얇은 털옷 사이로 들어왔습니다.

위이잉-

"야, 경민아! 잘 살고 있냐? 너는 왜 이리 연락이 없냐. 술이나 한 잔 하자!"

20년 지기친구 경훈이는 직장에 들어가면서부터 자취를 하고 다른 어릴적 친구들은 뿔뿔이 흩어져 1년에 한두번볼까 말까했습니다. 그래도 경훈이는 두세달에 한 번씩은 꼭 만나려 했고 서로 연락은 뜸해도 연락을 할 때면 언제나 반갑게 저를 맞아주었습니다.

경민아 너는 왜 이리 연락이 안 되냐, 일 때려치웠다고? 잘 때려치웠어. 그놈의 정신 나간 회사 다시 찾아보면 되지, 인마. 뭘 세상 다 산 표정을 짓냐 하며 격하게 공감도 했다가 한 사발 욕지거리를 하며 주거니 받거니 콩트를 하다 어느덧 소주를 세병을 비웠을 때 경훈이는 조금씩 혀가 꼬이기 시작했습니다. 지병으로 술을 마시면 안 되는 몸이지만 나도 모르겠다 하며 오늘만큼은 마음이 너무나도 괴로워 견딜 수가 없어속 쓰림을 꾹 참고 위산보다 더 쓴 소주를 목구멍에 들이부었습니다.

경훈이는 저를 보며 천진난만 했던 학창 시절의 철없는 이야기를 하며 호탕하게 웃는 낯빛을 하다가도 이내 눈이 풀리며 조금씩 얼굴에 그림자를 보이기 시작하며 서서히 저를 물끄러미 쳐다보기 시작했습니다.

"근데 경민아, 너는 뭐냐?"

"뭘 말이야?"

"아니, 그냥 세상 모든 힘든 걸 다 짊어진 채로 살아가는 사람 같잖냐."

"나는... 그냥 평범하게 살아가는 게 왜 이리 힘드냐. 남들 다 들어가는 직장, 들어가기만 하면 되는 줄 알았다. 근데 말이지, 그게 아니더라고. 나는 평범하지 않나봐. 그냥 불량품이지 불량품. 아무에게도 쓸모없는 불량품. 나는 어른이 되면 다 잘 될 줄 알았다. 근데 특출난 것 하나 없는데 어려서부터 병이나 앓고 툭하면 속이 쓰라리고 토하고... 남들처럼 평범하게 사는 게 이리 힘들 줄 몰랐다. 제 몸 하나 건사할 줄 모르는데 어디서 날 써주겠냐. 불량품이 아무리 감쪽같이 속여서 멀쩡한 물품들 사이에 낀다 해도 언젠가는 티가 난다. 내가 딱 그런 거지. 직장에 들어가서 멀쩡한 척 속여도 사람들은 불량품인 나를 알아본 거지."

"..."

저는 꽤나 쓸쓸한 눈을 하고 있었다는 것을 눈치채고 부끄러운 마음에 입술을 씰룩거렸습니다. 경훈이의 눈에는 심지 끝에서 금방이라도 픽 꺼질 것 같은 불씨인 저의 모습이 이리저리 일렁이고 있었습니다. 경훈이는 거의 의도적으로 제 모습을 외면하였습니다. 대화를 하면 할수록 장르는 코미디에서 휴먼다큐로 변해가는 것을 느낀 그는 황급하게 취한 척 그동안 친구들에게 서운함이 쌓였다며 반쯤 풀린 눈으로 책상을 손바닥으로 탁탁 치며 주제를 바꾸었고 조금씩 목소리가 커지기 시작했습니다. 경훈이는 이제 슬슬 가자며 마무리를 하였고 저는 취한 모습을 보이는 친구가 걱정되어 한쪽 어깨에 걸친 채 카드를 내밀었지만 경훈이는 저를 매섭게 노려보며 "야, 내가 낼게. 너 다음에 취업하면 너 거덜 낼 거니깐 각오해라."라며 저를 뿌리치고 갈지자를 열심히 그리며 집에 나섰습니다.

여름

　방안에 창문을 열고 가만히 앉아있어도 땀이 비질비질 등줄기를 타고 흐르기 시작했습니다. 따가운 매미소리는 저를 정신없게 만들었습니다. 어머니의 병세는 더욱 더 악화 되었고 통증을 호소하는 주기가 잦아졌습니다. 병원에서는 마약성 진통제를 처방해주었고 어느 때에는 그마저도 듣지 않을 때가 있었습니다. 그 모습을 옆에서 보고 있는 가족들은 가슴이 미어지는 것 같았습니다. 어느덧 저는 아직도 백수라는 사실이 부끄러워 남들이 한창 직장에서 일을 하고 있을 평일 오후에는 도무지 집밖을 나갈 자신이 생기지 않았습니다. 계속해서 집안에서 박혀있는 다 큰 아들이 걱정되었는지 밖에 좀 나갔다 오라고 하는 어머니의 잔소리가 어쩐지 오늘은 들리지 않았습니다.

　이제는 저를 좀 포기했나보다 싶은 생각이 들었을 때 였습니다.

　따르릉-

　예.

　예.

　…네?

　어머니는 분명 꾸준히 항암치료를 받고 분명 호전되었다고 했는데 퇴원 후 다시 검사를 하러갔을 때 림프관을 통해 이미 폐, 뼈, 간, 뇌까지 전이되어있는 상태임을 알리는 전화였습니다. 덤덤하지만 분명 입술 끝이 바르르 떨리는 어머니의 전화를 끊고 나서는 저는 화장실로 들어가 차가운 물을 몇 번이고 흐르는 물에 문질러보았습니다. 눈물인지 물인지 알 수 없이 오래오래 제 얼굴을 차가운 물에 첨벙이곤 했습니다. 고개를 들어 저의 못난 얼굴을 거울과 마주했을 때의 두려움을 맞닥뜨리고 싶지 않았습니다.

　앙상한 어머니의 손 끝. 그리고 그 손을 있는 힘껏 다잡고 눈물을 줄줄 흘리는 누나. 그렇게도 무더운 여름인데 어머니의 손은 어쩜 그리 얼음장같이 차가운지 모르겠습니다. 어려서부터 저는 어머니의 손 끝을 바라보며 살아왔습니다. 보드랍고 따뜻한 손으로 저의 머리카락을 쓰담아주던 어머니의 손. 돈이 없어 남들 다 다니는 학원 하나 보내줄 수 없는 자식들을 바라보며 항상 안타까워 하는 어머니의 손은 언제나 밤낮없이 반찬 가게일을 하느라 분주했습니다. 아버지는 조그마한 컴퓨터 회사에서 일을 하다 실적이 나지않아 잘린지 10년이 되어갔지만 더 이상 일을 찾지 않으셨습니다. 술만 마시면 없는 살림에 친구들에게 돈을 펑펑 쓰고 오니 어머니와 아버지는 싸우는 날이 잦아졌고, 집안에는 조금씩 가족들의 웃는 소리가 줄어들기 시작했습니다. 어머니는 자식들만큼은 부족하지 않게 해주고 싶다며 더욱 이를 악물며 일을 하셨고, 통통하고 곱던 어머니의 손은 어느새 주름지고 수세미처럼 거칠어졌고, 어머니의 손을 잡을 때면 앙상한 나뭇가지를 잡는 것 같았습니다.

"왕!왕!"

우리들의 고통스러운 마음을 아는건지 어머니가 가장 아끼는 우리 강아지 해피는 이리저리 어머니의 주변을 돌며 시끄럽게 짖어대기 시작했습니다.

"시끄러워!"

자신의 억누르지 못하는 분노를 참지 못하고 큰 소리로 호통을 치며 조그마한 강아지에게 화를 푸는 형. 그 모습을 보며 해피는 낑낑 소리를 내며 바들바들 떨며 어머니의 다리 사이로 숨었습니다. 아버지는 술에 취해 주변 친구에게서 데려온 누런 새끼 강아지 한 마리를 상의없이 데려와 놓고 손 하나 까딱하지 않아 어쩔 수 없이 어머니가 밥도 주고 똥도 치워주는데 어머니의 그 고생스러움에 답답했던 형은 강아지를 내다 버릴 수도 없는 터라 애꿎은 강아지를 볼 때마다 화를 내곤 했습니다.

"개한테 왜 그러니. 개가 무슨 죄가 있다고."

어머니의 건조하고 힘 없는 목소리로 형을 나무랐습니다. 형은 강아지가 꼴도 보기 싫다며 고개를 휙 돌렸고, 아버지는 옆에서 조용히 애꿎은 뜨거운 아메리카노가 담긴 잔만 달그락 거렸습니다.

어머니의 암 전이 소식과 5년 정도 남았다는 비보는 순식간에 친척들 귀에 들어갔고 어머니의 모습을 보기위해 이곳저곳에서 집으로 몰려오기 시작했습니다. 친척들의 걱정스러운 표정과 말이 지긋지긋해졌는지 어머니는 무표정으로 먼 곳에서부터 온 친척들의 선물도 필요 없다며 손사래치며 거절했습니다. 작은 이모는 조금씩 눈시울을 붉히며 눈물을 훔쳤습니다.

"언니, 우리 언니 아파서 어떡해. 평생 남편 뒷바라지, 애들 뒷바라지 하느라 고생했는데 이제 언니 행복해야지. 이제 언니를 위해 살아야지. 왜 아파, 왜 아파."

주르륵 눈물을 흘리며 작은 이모는 어머니의 품에 안겨 아이처럼 엉엉 울었습니다.

그러다 작은 이모는 저와 눈이 마주쳤고 저에게 너도 얼른 취직해서 어머니 마음을 편안하게 해줘야 하지 않겠냐며, 그래야 하는 거 아니겠냐며 나무랐습니다.

그 이야기를 끝으로 자연스럽게 아버지, 어머니, 누나, 형, 큰 이모, 작은 이모의 까만 눈들은 저를 향하게 되었고 그 까만 눈들은 저를 인정사정 없이 옥죄이기 시작했습니다.

죽어, 이 불량품.

나가 죽어, 이 불량품.

나가 죽어야지, 아무짝에도 쓸모없는 불량품.

다 너 때문이야. 네가 어머니의 병을 키웠다고.

너만 아니었어도. 너만 아니었어도. 너만 아니었어도...

한 마디의 말이 변주되어 제 아주 깊숙한 곳에서부터 울려퍼지던 조그마한 목소리들이 점점 크게 뒤틀려 저의 머릿속을 헤집어놓았습니다. 열두개의 까만 눈은 저의 목을 조르기 시작했고 숨이 쉬어지지 않았습니다. 두근. 두근. 호흡은 점점 거칠어졌고 심장은 너무나도 빠르게 뛰어 몸 밖으로 터져나가는 것 같았습니다. 차가운 땀방울들은 하나둘씩 송글송글 모여 얼굴을 타기 시작했고 이대로는 죽을 것 같아 살려달라고 애원하고 싶었지만 목소리가 나오지 않았습니다. '병을 안고 평생 가족들의 짐만 되었는데 뭐 하나 도움된 것도 없고 나의 스토리는 이렇게 비참하게 끝나는 건가? 이렇게 형편없이 살다가 죽을 수 있나?'

이렇게 죽는 거구나. 사람은 이렇게 죽을 수도 있는 거구나.

가을

여전히 저에게 가장 안전한 곳은 저의 방이었습니다. 저는 공황증세와 우울증으로 인해 정신과 약을 먹기 시작했습니다. 정신과약, 내과약. 그래, 다음은 무슨 약이 추가될라나. 먹으면뭐 해, 소용도 없는데. 저는 조금씩 증식하는 것만 같은 형형색색의 약들을 물끄러미 보았습니다. 분명 저에게 행복이란 단어는 닿을 듯 말 듯, 물론 가까이 있었던 적은 없지만 그래도 이제는 닿을 것 같았는데 이제는 아예 기억의 파편으로 남아 제 마음속 끄트머리에 웅크리고 있었습니다.

'분명 애가 어릴 때는 똘똘했는데 어쩌다가 저 지경이 되었을까'라며 어느 순간부터 저는 나약하고 부족한 놈이 되었습니다. 상반기 공채가 났을 때는 준비가 되지 않았다는 핑계를 대며 외면할 수 있었는데 저에게는 이제 다른 선택권이 없었습니다. 피할 수도 벗어날 수도 없습니다. 머지않아 하반기 공채도 끝날 터였기에 잡히는 대로 이곳저곳 지원을 하였습니다. 사실 되든 안 되든 정말 내가 하고 싶어서의 의지 따윈 중요치 않았습니다. 무언가라도 하고 있다는 것을 보여주는 쇼잉이 필요했습니다. 그게 무엇이라도 말이죠.

어머니는 점점 암세포들이 어머니의 몸 이곳저곳을 타며 퍼졌고 아버지는 평생 집안일을 해본 적이 없는 터라 어색한 솜씨로 밥을 해 드시거나 저와 같이 편의식품으로 대충 끼니를 때우다 보니 점점 팔다리는 야위어가는데 배는 불룩한 거미의 형태가 되어갔습니다. 속은 항상 위산이 울렁거리며 더부룩하였고 감기는 눈을 억지로 떠 가며 컴퓨터 앞에 앉아 복사, 붙여 넣기하는 삶을 반복 재생하였습니다. 어머니의 병세가 악화될수록 아버지와 저는 말수가 줄어들었고, 형과 누나는 그저 간간히 어머니의 안부만 묻고 그 외의 것은 뭐든 관심이 없다는 듯이 굴었습니다. 어쩌다 한 번 가족이 모여 밥을 먹을 때면 싸늘한 공기만이 가득 차다 같이 만나는 횟수도 조금씩 줄어들어 어머니의 병원 입원하는 날만 가족들의 얼굴을 볼 수 있었습니다.

문틈 사이로 붉게 달아오른 낙엽이 살랑거릴 때면 어쩐지 가슴이 울렁였습니다.

하지만 이 작은 감정마저도 제겐 사치겠지요. 그것을 너무 잘 알기에 저는 계절처럼 쓸쓸한 표정을지어 보이곤했습니다.

천천히 움직이는 하얀 구름, 맑고 파란 하늘에 저는 두둥실 떠오르는 것 같았습니다. 긴 밧줄로 저를 칭칭 감아놓고 자유로운 낙원이 보이는 저 푸른 하늘에 몸을 맡기고 싶었습니다. 이 좁고 어두운 방 한편에서 벗어나 저를 감싸고 있는 모든 족쇄를 벗어던지고 해방감을 얻고 싶어 온몸이 근질거렸습니다. 이 모든 것을 끝내고 창 밖에 보이는, 자유로이 날아다니는 새들의 모습에 괜스레 질투가 나 그들을 따라가고 싶었습니다. 존재하는 것과 존재하지 않는 것. 존재와 비존재. 만약 제가 존재하지 않게 된다면 제가 겪고 있는 이 고통도 사라지지 않을까 하는생각이 무의식의 영역에 벗어나 의식의 끝에 다다르게 되었습니다. 가능하면 쉽고 빠르게 해결하고 싶었습니다. 저는 저의 눈과 귀를 막고 입과 코를 손으로 있는 힘껏 짓눌러 가려보았습니다. 사방이 컴컴하고 아무 소리도 들리지 않았습니다. 저는 망망대해에 몸을 맡긴 채 떠내려가고 있었습니다. 숨이 점점 막혀왔지만 반대로 저는 오랜만에 해방감을 느낄 수 있었습니다. 아무것도 생각하지 않고 오롯이 제 자신만을 생각하며 스스로 목을 죄이고 이대로 사느냐 죽느냐를 논하고 있자니 웃기게도 이게뭐 하는짓인가 생각이 들며 스스로가 너무바보 같아 피식 웃음까지 나올 정도였습니다.

오랜 적막과 암투를 벌이고 있던 저는 갑작스럽게 울리는 전화벨 소리에 화들짝 놀라헉하고숨을 급하게 들이쉬는 바람에 컥 하고 기침을 뱉었습니다.

"어, 경민아. 엄마는 좀 어떠시냐?"

"응, 형. 엄마 지금 소파에 누워서 주무셔. 하지 말라고 하는데도 하루종일 계속해서 바닥 청소하시다가 이제야 지쳐서 주무신다. 좀 힘이 없으신 것 말고는 괜찮은 것 같아."

"그러냐?"

"…"

정적이 흘렀습니다. 건조하게 어머니의 안부를 묻는 형의 말에 그에 알맞은 답변말고는 그다지 해줄 말이 없었습니다.

"근데 너 목소리가 왜 그러냐?"

예상치 못한 질문에 저의 머릿속은 온갖 생각이 휘몰아쳤습니다. 당황스러운 형의 질문에 죽고 싶어서 목을 조르고 있었다고 답변할 수 없으니 얼렁뚱땅 넘어갈 심산이었다.

"그냥 목이 건조해서 그래."

형은 아무 말이없었습니다.

들킨 건가 싶어 땀을 삐질삐질 흘리고 있었을 때였습니다.

"그래, 많이 힘들지. 엄마도 엄마지만 너도 걱정이다. 저번에 봤을 때부터 네 표정이 많이 안 좋던데 너무 무리하지 마라. 누나도 엄마도 다 너 걱정 많이 하신다. 몸도 안 좋은데 무리하면 더 악화된다. 가족이 뭐냐, 힘들면 말하고 돕는게 가족 아니냐. 너무 끙끙 앓지 말고."

"그래 형. 고마워."

너무 힘들다. 너무 힘들어서 미쳐버리겠어. 이렇게 버티는 게 소용

이 있는 걸까 형? 힘들어서 이제 그만하고 싶다. 라고 답변하고 싶었지만 이제 응석 부릴 나이는 지났다는 것을 알기에 짧게 답변을 하고 떨리는 목소리를 애써 감춘 채 전화를 황급히 끊었습니다. 예상치도 못한 형의 말에 저는 눈물을 쏟은 채 가슴 깊이터져 나오는응어리를 참지 못하고 후련하게 뱉어내었습니다. 얼굴을 팔에 깊이 묻은 채 온몸을 들썩거렸고 굶주린 하이에나처럼 형의 건조하지만 따뜻한 말한 마디가 고팠는지 혼자서 난리 발광을 쳤습니다.

그렇게 저는 며칠 동안 괴로움에 못 잤던 잠을 몰아서 잘 수 있었습니다.

겨울

새 하얀 눈이 저의 어깨에 소복하게 쌓이기 시작했을 때에 저는 길거리에 우뚝 서서 한 곳을 응시하고 있었습니다. 구부정하게 말린 어깨, 자글자글한 주름과 촌스러운 진달래빛 모자를 눌러쓴 한 노인을 보고 어머니가 생각났기 때문입니다.

어머니는 2년 전 암 말기로 온몸에 점점 암이 전이되어 1년 간 암 투병을 하시다 별세하셨습니다. 조금씩 커지는 통증에 어쩔 수 없이 진통제에 의존하셨고 암 말기로 더 이상 항암치료는 어려웠지만 조금씩 몸의 기능이 약화되어 온갖 기구를 달고 살다 결국에는 가족들의 곁에서 희미한 미소를 띠며 돌아가셨습니다. 그때의 저는 저와 남은 가족이 짊어지고 있던 짐을 조금은 내려놓을 수 있었다며 죄스러운 생각을 하였고, 그런 한심하고 불효자 같은 생각 따위를 잠시나마 했다는 제 자신에 혐오감을 느꼈습니다. 어머니에게 더 이상 죄스러운 행동을 하지 말자는 생각에 진심으로 열심히 살자는 생각이 들었고, 어느덧 저는 새로운 직장에 들어가 일을 한 지 반년이 되었습니다. 계속해서 지원서를 넣고 쓰고 떨어지고를 반복하며 면접에서도 크게 기대를 하지 않았는데 마음을 내려놓고 돌아섰던 곳에서 최종 합격 통보를 받은 것 이었습니다. 그토록 염원하던 것 이었는데 막상 합격 통보를 받았더니 빠르게 뛰던 심장은 이상하게 점차 고요해졌습니다. 이번에는 이겨내보겠다며 스스로를 옥죄는 일을 하지 않기로 했습니다. 그저 직장에서 조금은 저를 내려놓기로 한 것입니다. "너 자신이 없으면 그 어떤 것도 소용 없다. 너 자신을 우선으로 해라."라며 다독여준 어머니의 마지막 말을 잊지 않기로 했습니다. 저는 약을 꾸준히 먹으며 치료를 받으며 마음과 몸의 상태가 조금씩 나아지고 있었고, 여전히 속이 쓰리고 울렁거리지만 억지로 토를 하는 일은 없었습니다.

창 문 너머로 까르르 웃으며 뛰어다니는 아이들의 소리에 고개를 돌리니 아이들과 함께 눈을 굴리며 놀아주는 아이들의 부모님의 모습을 볼 수 있었습니다.

우리가 좀 더 가난하지 않았더라면.

제가 어려서부터 지병을 앓지 않았더라면.

어머니가 암에 걸리지 않으셨다면.

조금만 더 직장에 오래 버텼다면.

제가 좀 더 평범하게 살았더라면.

그랬다면. 아니었다면.

온갖 가정법을 써가며 조용히 창문을 향해 읊조려보았지만 현실은 달라질 것이 없었습니다. 저는 고개를 젓고 잠시 문 앞에 서 있었습니다. 천천히 문을 열며 들어오는 형과 누나, 그리고 친척들의 모습을 보며 고른 이가 다 보일 정도로 환하게 웃어보았습니다.

"약은 잘 먹고 있지? 몸은?"

"보자마자 가장 먼저 할 소리가 그거야?"

입술을 씰룩거리며 형은 됐다 하며 피식거렸고 누나의 딸 아이는 저를 보며 부끄러운지 누나의 뒤에 숨어 기어가는 목소리로 인사를 하였습니다.

저는 집안으로 들어오는 가족들의 뒷모습을 물끄러미 바라보았습니다.

이 오랜 집에서 저는 얼마나 철없이 살았고, 평범하게 살기를 바라며 괴로워하였고, 이윽고 웃음을 되찾기까지 얼마나오래 걸렸는지 뒤돌아 생각해 보았습니다. 저는 제가 앞으로 저를 위해, 저의 가족을 위해 어떠한 삶을 선택할 것인지 알고 있었습니다. 확신이 들자 저는 비로소 저를 옥죄고 있던 불량품이라는 라벨이 너덜너덜 떨어져 나가는 것을 느낄 수 있었습니다.

불량품이라며 스스로를 라벨링하며 자학하고 주변인에게까지 그 괴로움을 전달하던 저의 모습에 부끄러워 고개를 떨구었습니다.

저는 우울감이 제 머리 위로 검은 먹구름처럼 스멀스멀 몰려와 저를 뒤덮어버리려고 할 때면 어머니가 제게 살아 생전 전달하지 못하였던, 구겨지고 노랗게 바래버린 편지를 펼쳐보곤 합니다. 그 편지에는 무심하게 적힌 어머니의 무뚝뚝함 속에 다정함이 묻어나 있었습니다. 세 장으로 빼곡하게 적힌 어머니의 글씨에는 저에 대한 걱정과 다정하게 대해주지 못하고 아픈 저를 더 챙겨주지 못했다는 그 미안함, 사랑한다는 말을 충분히 해주지 못했다는 아쉬운 것 모든 것이 꾹꾹 눌러 담겨있었습니다. 어머니의 편지 중간 중간마다 어머니의 눈물에 고이고 말라버려 이상하게 비틀어진 자국들을 볼 수 있었습니다. 그 자국들을 손 끝으로 만지작거리면 당시에 어머니는 얼마나 저를 생각하며 가슴이 미어졌는지, 얼마나 저에게 사랑한다고 표현하고 싶었는 지 알 수 있었습니다. 어머니의 애정과 형과 누나의 잔소리, 친구들의 응원이 저를 세상 밖으로 나갈 수 있도록 뒤에서 힘껏 밀어주었습니다. 스스로를 옥죄고 있을 때면 자꾸 "앞으로 나가! 앞으로 가!"라며 그들이 저를 밖으로 나갈 수 있도록 했습니다.

치료를 받으며 가족들에게 저와 비슷한 사람들을 만나보라며 추천을 받아 치료 모임에 나가기 시작했는데, 저와 같은 사람은 없었지만 모두 저처럼 스스로를 불량품이라고 비관하며 구렁텅이로 몰아넣은 사람들이었습니다.

"살아있으니깐 어쩔 수 없이 살고 있는 겁니다, 저는."

모든 것을 내려놓은 채 창백한 표정을 짓고 있는 어떤 중년의 남자는 슬픈 눈을 한 채 고개를 떨구고 있었습니다. 아내와 이혼하고 병 걸린 딸을 돈이 없어 제대로 치료받지 못해 가족을 잃은 중년의 남자는 금방이라도 울 것 같은 표정을 짓고 있었습니다. 제 깊은 곳 안에서 어떤 뜨거운 것이 느껴지며 알 수 없는 감정에 휩싸였습니다.

"저도 한 때는 살 이유를 찾지 못했습니다. 스스로 연민에 빠져 그 어떠한 것도 저를 구제할 수 없다고 생각했습니다. 저랑 함께 살 이유를 만들어봅시다."

저는 그런말이 저절로 제 입 밖으로 나올지 몰랐기에 스스로에게 놀랐습니다.

그 중년의 남자는 천천히 저와 눈을 마주쳤고 한참이나 어린놈이 자신에게 동질감을 느낀다는 것이 어이가 없다는 듯이 허탈한 웃음을 보였습니다. 하지만 그 어린놈은 모든 것이 지쳤다는 얼굴을 하고 있으면서도 자신을 향해 힘 없이 웃어보이며 까만 눈에 별이라도 박은 듯 반짝거리는 눈빛을 하고 있다는 것을 알자 알 수 없는 표정을 보이며 이윽고 창문으로 고개를 돌렸습니다.

"어느덧 겨울이 지나고 봄이 오고 있군요."

그 말에 저는 자연스럽게 창문을 쳐다보았습니다. 창문에 비친 저의 얼굴이 창밖의 봄 풍경과 이상하리만치 닮아있다는 것을 알 수 있었습니다. 어떤 것이 비슷하다고는 설명하기 어려우나 꽤나 봄과 어울리는 모양새를 보이고 있었습니다. 거울에 비친 저의 모습은 한동안 길고 어두워 얼어 붙어있던 녹음이 부끄럽게 제 모습을 빼꼼 내보이며 봄을 맞이할 준비를 하고 있었습니다.

"더디고 힘들어 올 줄 몰랐는데 봄이 오긴 오는군요."

저는 창밖에 비치는 얼굴을 보며 희미한 웃음을 지어보였습니다. 쌀쌀한 바람에 황급하게 창문을 닫는 제 손, 그리고 그 아래 손목 사이로 보이는 붉고 가느다란 선들 위로 어느 새 새로운 살이 돋고 있었습니다.

소곤소곤

김은아

김은아 책을 읽고 글을 쓰면서 오십이 넘어서야 출판에 용기를 내 봅니다. 지
치고 피로한 시대를 함께 살아가는 이들과 글을 통해 따뜻한 온기를 나
누고 싶습니다. 유난하지 않은, 그러나 특별한 시간이기를 소망합니
다.

블로그: https://m.blog.naver.com/lunakim00

"각자 다르게 사는 줄 알았는데, 다들 비슷하게 살고 있었구나!"
함께 〈소곤소곤〉 나누어 보는 세상 살아가는 이야기

- 목련, 타다.

- 깊은 삶을 살고 싶다면 부모가 되어라.

- 40대, 나와 화해하다.

- 아들아, 너를 응원해!

- 행복은 상황이 아니고 태도다.

- 세상을 이기려면 나부터 이겨라.

- 워킹맘과 전업맘, 생활의 방향성이지 삶의 방향성은 아니다.

- 50대, 매일 새로운 하루를 깨닫다.

- 인간관계, 동굴과 광장을 조율하다.

- 외로움, 나 자신과 친구가 되다.

- SNS, 유리병 통신

목련, 타다.

필락 말락 여린 분홍 새순
활짝 만개한 눈부신 꽃봉오리
흩날리며 지는 아련한 꽃잎

처녀를 닮은 벚꽃,
봄을 점령하다.

봄의 한 켠
엄마를 닮은 목련,

우아하게 피었다가
타들어 가는 꽃.

무에 그리 마음이 까맣게 탔니?
물으면
울컥 참았던 슬픔이 터질 것 같은,

서로 잡으려 다투며 지는 벚꽃잎
서로 피하려 다투며 지는 목련 꽃잎,

봄

벚꽃은 피고 지고,

목련은 조용히 흐느끼며 탄다.

깊은 삶을 살고 싶다면 부모가 되어라.

자식이란
어떤 씨앗인지도 모르고 키우는 나무 같습니다.

처음에는 풀인지, 꽃인지, 나무인지조차
알 수가 없습니다.

떡잎만 보고 섣부르게 단정하기도 합니다.
부모가 소나무이니 자식도 소나무려니 키우다가
낭패를 보기도 합니다.
부모가 버팀목인 줄 알았는데 걸림돌이 되어버리기도 합니다.

태양도
비와 바람도
비료도
그 고유함을 바꿀 수는 없습니다.

지나친 태양이 잎을 말리고
지나친 비가 뿌리를 썩게 합니다.
지나침보다는 모자람이 차라리 낫습니다.

자식이란 나무는
부모의 가슴에서 자랍니다.

자라면서 흔들리고 젖을 때마다
가슴이 따끔따끔 아프다가 시리기도 하고 벅차오르기도 합니다.

그렇게 약자로 사는 법을
부모가 되어서 배웠습니다.
절대로 잃고 싶지 않은 것을 품고 산다는 건
강렬한 의지이자 약점이니까요.

자발적이며 본능적인 희생과 사랑,
부모니까 기꺼이 그 길을 갑니다.

슬픔이 있어 더 큰 기쁨,
아픔이 있어 더 큰 행복,
어둠이 있어 더 큰 밝음,
골짜기가 있어 더 높은 봉우리
그런 삶의 깊이를
부모가 됨으로써 깨닫습니다.

"넓은 삶을 살고 싶다면 혼자 살아라,

하지만 깊은 삶을 살고 싶다면 부모가 되어라.

자유로운 삶을 살고 싶다면 혼자 살아라,
하지만 의미 있는 삶을 살고 싶다면 부모가 되어라."

* 부모가 되는 것을 기피하는 시대에 부모로서, 자식이라는 나무를
  품고 살아가는 떨림, 두려움, 기쁨에 관해 이야기해 보고 싶었습
니다.

40대, 나와 화해하다.

젊어서는 〈되고 싶은 나〉와 〈될 수 있는 나〉 사이에서
끊임없이 좌절하고 그런 나를 못마땅해 하기도 했습니다.

마흔이 넘어서야 알게 되었습니다.

믿음직해서 믿는 것, 누구나 할 수 있잖아요?
미덥지 않지만 믿어주는게 어른의 믿음입니다.

이쁘고 완벽해서 사랑하는 것, 누구나 할 수 있잖아요?
못나고 부족해도 있는 그대로 보듬는게 어른의 사랑입니다.

그렇게 부족하고 때론 못마땅한 나 스스로를 있는 그대로 사랑하
면서,
나는 나와 화해하고 비로소 편안해졌습니다.

뛰어서 먼저 가야 최고인 줄 알았는데,
걷거나 멈출 줄도 알게 되고
위만 보다가 옆이나 아래로 시야도 넓혀 보고
걸어온 길을 되새김 해보다가 되돌아 가는 여유도 갖게 되고,

어느새 그렇게 내 삶의 속도와 방향을 찾았습니다.

"그럴수도 있지."
세상을 이해하고
세상의 속도와 나의 속도를 조율하는 시기,
〈40대〉입니다.

아들아, 너를 응원해!

아들아,

네가 군대를 간다고 했을 때,

"남자라면 다 군대는 가는 거지."

라거나

"요새 군대는 군대도 아니다, 얼마나 편해졌는데...."

라는 이야기를 가끔 들었어.

엄마는 〈군대〉를 잘 모르니까 이 말이 와 닿지 않아서 〈출산〉으로
바꾸어 생각해 봤지.

"이 세상 모든 엄마는 출산했어."

라거나

"요새 병원이 얼마나 시설과 의술이 좋은데...."

이런 이야기를 들으면 과연 위로가 될까 하고 말이야.

물론 대답은 NO!

출산의 아픔, 이 세상 모든 엄마들이 겪든지, 오직 나만 겪든지

아픔의 실체는 변하지 않으니까 그런 말들이 아픔을 전혀 덜어주지
않았어.

그러니 네가 군대 가서 겪는 힘듦이나 고민이,

네 친구들과 나아가 많은 20대 남자들이 다 겪었다고 해서
이런 말들로 변하지는 않는다고 생각해. 그건 그냥 여전히 엄청나
게 힘든 일이야.

군대가 좋아졌다지만 세상은 더 좋아진걸? 그러니까 군대와 세상의
간극은 늘 좁혀지지 않고, 군대 속에서 느끼는 답답함이 지금이라
고 더 나아지지 않았을 거로 생각한다.
군대는 늘 세상과 그렇게 일정 간극을 유지 중이라고,
그러니 너는, 지금 참 힘든 상황이 맞아.

그.런.데 이 세상 모든 엄마가 출산을 했다는 것,
그건 또 아예 의미가 없지는 않더란 말이지.

"뭐야? 나보다 몸도 약해서 늘 비실대던 영희도 자연 분만을 했
다고?"
"걱정이 너무 많아서 아이는 안 나올 줄 알았던 수진이도 아이를
낳았네!"

그 아픔은 변하지 않았는데 그걸 이겨내는 엄마 마음에는 이 말들
이 영향을 주더라고.
그 사람들도 이겨냈다면 나도 할 수 있겠구나 하는 자신감, 오기가
생겼다고나 할까?

"남들도 다 그래.", "세상 좋아졌어."
라는 말이 위로가 되지는 않겠지만, 그래서 고난을 이겨내는
〈응원〉은 될 수 있다고 생각해!

"그들이 했다면, 넌 더 잘 할 수 있을 거야! You can do it!"

〈He can do it.
She can do it.
Why not me?
– 재미교포 김태연〉

행복은 상황이 아니고 태도다.

가만히 생각해 보니, 불행한 사람이 더 많은 이유가 있었습니다.
긍정적이고 행복한 일들보다 부정적이고 힘든 일들의 지속 기간이 더 길기 때문입니다.

죄는 순간이고, 벌은 평생 갑니다.
노력은 쥐어 짜내는데, 결과는 툭 떨어집니다.
기쁨은 금방 바래고, 슬픔은 점점 또렷해집니다.
행복은 찰나에 지나가고, 불행은 지칠 때쯤 사라집니다.
버는 건 한푼 두푼 모으는데, 쓰는 건 한 번에 쓱 나갑니다.
공부 시간은 더디 지나가고, 시험 시간은 더 빨리 지나갑니다.

어떻게 긍정의 유통기간을 늘릴 수 있을까요?

"비가 온 뒤에
땅이 단단하게 다져지기도 하고, 땅이 패여 구덩이가 남기도 합니다.
그것은 비가 결정할까요?
파도가 밀려올 때
파도를 즐기며 타는 사람과 파도가 두려워 피하는 사람이 있습니다.

그것은 파도가 결정할까요?"

상황은 바꾸지 못해도 상황을 받아들이는 태도는 바꿀 수 있습니다.

상황은 내 몫이 아니지만 상황을 받아들이는 태도는 내 몫입니다.

좋은 일이 생겨야 행복해지는 줄 알았는데 감사할 줄 알아야 행복해집니다.

행운이 와야 감사한 줄 알았는데,

큰 불행은 피하게 된 것에, 견딜 수 있는 소소한 불행인 것에, 돈으로 해결되는 불행인 것에 감사할 줄도 알게 됩니다.

"이만하길 다행이다."

우리는 안 받는 것보다 덜 받는 데 더 분노합니다.

SNS(Social Networking Service)는 이런 성향을 극대화합니다.

비교 지옥에 빠져서 내 것인 적도 없는 것에 상실감이나 박탈감을 느끼기도 합니다.

"왜 너라고 늘 행복하겠느냐

왜 너라고 늘 뜻대로 되어야 하느냐

감사함을 아는 것이 모든 것을 아는 것이다."

힘들 때면 성경의 이 구절을 주문처럼 되뇝니다.

산다는 건 사방이 지뢰밭이고 낭떠러지입니다.

여기까지 큰 사고 없이 지나온 것은

내가 잘나고 똑똑해서가 아니고 그저 운이 좋았을 뿐입니다.

지금, 이곳에서 행복하지 않다면,

언제, 어디에서도 행복은 요원할지 모릅니다.

행복은 상황이 아니고 태도니까요.

〈행복하니까 웃는 게 아니고, 웃으니까 행복하다.

- 디즈니 곰돌이 푸〉

〈우리가 불행한 것은 자기의 행복을 모르고 있기 때문이다.

- 도스토예프스키〉

세상을 이기려면 나부터 이겨라.

무언가를 이루려고 할 때에는 재능, 욕심, 성실 이 3가지의 합이
중요합니다.

재능은 선천적입니다. 노력으로 크게 변하지 않습니다.
대부분 선물 같은 큰 재능을 타고나는 것은 아니지만, 그렇다고 사
는 데 어려움을 느낄 만큼 부족한 경우도 드뭅니다.
어린 시절 큰 재능이란, 적게 노력해도 쉽게 얻는 경우가 많아서 이
경험에 익숙해지면 많은 노력에 희소한 결과를 얻어야 할 때
힘들어하거나 회피하기도 합니다. 재능이 클수록 어린 시절에는 더
욱 조심히 다루어야 합니다. 지능도 재능이라 예체능뿐만 아니라 공
부도 타고난 아이들이 유리한 측면이 있습니다.

반면에 욕심은 후천적인 요소가 큽니다. 누구나 욕심이 생기는 포
인트가 있습니다. 공부일 수도 있고, 외모일 수도 있고, 돈일 수도 있
고, 맛있는 음식일 수도 있습니다. "무엇에 강렬하게 만족 또는 결핍
을 느꼈는가?" 라는 경험에 크게 좌우됩니다. 전혀 모르는 것을 욕망
할 수는 없으니까요.
남에게 인정받고 싶은 욕심이 큰 사람도 있고, 자신이 추구하는 완
성도 라는 욕심이 중요한 사람도 있습니다.
욕심은 일을 추진하는 기폭제로 가진 것 이상을 끌어 올리는 힘이

있습니다. 그러나 과유불급이 딱 들어맞는 요소이기도 합니다. 욕심은 늘 목마르고 불안을 내포하기 때문에 목표라는 과녁이 아니라 욕망에 조준하고는 흔들리게 됩니다.

내가 할 수 있는 최선을 다했다면(다할 진 盡), 그 이후 결과는 하늘의 뜻을 기다리는 담담함이 있어야 하는데(진인사대천명 盡人事待天命), 욕심에 눈이 멀어 진퇴양난(進退兩難)에 빠지기도 합니다. 일을 진행할 때는 기폭제가 되지만, 마무리에서는 독이 될 수 있는 양날의 검이라고 할 수 있습니다.

그러면 이제 성실만이 남습니다.

누구나 공평히 하루 24시간이 주어집니다. 만약 하루에 1시간씩만 더 노력한다면, 1년 동안 낮을 12시간이라고 봤을 때 한 달의 시간을 더 가질 수 있습니다. 13달을 사는 것입니다.

누구나 한번은, 하루는 성실할 수 있지만 매번은, 매일은 어렵습니다.

마지막 순간까지 노력을 멈추지 않는 것, 초심을 끝까지 유지하는 것,

이 성실이 나의 최선이었다면 결과와 관계없이 후회는 남지 않습니다.

나는 내가 할 수 있는 모든 것을 다 했으니까 그래도 안 된다면 그건 애초부터 안되는 거고, 다시 해도 안되는 거니까 오히려 결과에는

담담해집니다.

세상을 이기려면 나부터 이겨야 하고 나를 이기는 극기가

성실 - 꾸준함입니다.

실패란 포기의 다른 이름입니다.

실수하더라도 꾸준히 계속하다 보면 결국은 성공하게 됩니다.

적당히 묻어가기를 소망하는 시대, 최상의 재능보다 최상의 성실함
이 더 희소하게 빛납니다.

〈타인보다 우수하다고 해서 고귀한 것이 아니라 과거의 자신보다
우수한 것이야말로 진정으로 고귀한 것이다.

- 헤밍웨이 〉

워킹맘과 전업맘, 생활의 방향성이지 삶의 방향성은 아니다.

저는 15년 동안 직장을 다녔는데 그중 10년을 워킹맘으로 생활했습니다.

전업맘이 된 지는 15년이 되었고, 가끔 아르바이트나 단기 프로젝트를 하기도 합니다.

＊ 워킹맘 : 일과 육아를 병행하는 엄마, 전업맘 : 육아에만 전념하는 엄마

무엇이 더 힘들었을까요?

일반적으로 워킹맘은 몸이 힘들고, 전업맘은 마음이 힘듭니다.

워킹맘은 한 사람 몫의 직장 생활과 동시에 엄마, 아내, 딸, 며느리 역할을 병행하다 보니 시간과 체력이 빠듯합니다.

아침 출근 버스에서, 오늘 직장과 집에서 점검할 일을 빽빽이 적곤 했습니다. 정신없이 하루를 지내다 보면 깜박하는 일이 발생하니까요.

돌이켜보면 워킹맘으로서 저의 30대는 앞만 보며 토 나올 만큼 숨차게 뛰었던, 지금 생각해도 그 이상은 못 할 것 같은, 최선을 다한 시간이었습니다. 다시 돌아가라 하면 1초도 고민 없이 〈노 땡스〉입니다.

그런 30대의 내가 고마우면서 짠하기도 합니다. 지금의 내가 말합니다.

"열심히 살아줘서 과거의 나야, 참 고마워!"

워킹맘으로 살면서 무엇이 가장 아쉬웠을까요?

둘째 아이의 친구 엄마가 시어머니 이야기를 한 적이 있습니다.
시어머니는 음식점을 운영하며 자수성가하신 분인데 자식들에게 그러셨대요.

"내가 이만큼 살게 된 데는 내 노력도 있지만 그 안에는 자식들의 희생도 있다. 내가 일을 했기 때문에 내 아이들이 누리지 못한 것들이 있다.

그래서 당연히 내 재산에는 아이들의 지분이 있다고 생각한다."
워킹맘의 노고와 희생이 논란의 여지 없이 가장 큽니다. 하지만 자의든 타의에 떠밀렸던 이것은 결국 자신의 선택입니다. 하지만 아이들은 그렇지 않습니다.

1인 N 역에 바쁜 엄마만큼이나 아이들도 엄마의 빈자리를 채우며 고군분투하고 있다는 사실을 간과하지 말아야 합니다.

첫째 아이는 하원이나 하교 후 아파트 놀이터에서 놀다가, 전업맘들 아이들이 어울려 다 같이 식사하러 가는 걸 너무나 부러워했습니다.

한번은 놀이터에서 같이 놀던 첫째 아이가 또 밥을 먹으러 가는 그 어머니들께 자기도 가면 안 되냐 용기를 내어 물어본 적이 있습니다.

그분들은 "저녁에 엄마 퇴근하고 오시면 물어봐서 된다고 하면, 다음에는 데려가 줄게." 라고 대답했습니다.

그날 첫째 아이는 오매불망 엄마의 퇴근을 기다렸습니다.

퇴근하자마자 자초지종을 이야기하며 허락해 달라고 애원했습니다.

성향을 아는 분들이기도 하고 데려갈 생각이 있었다면 제 연락처도 알고 있으니 그 자리에서 전화나 문자를 했을 텐데, 이렇게 이야기한 건 곤란한 상황에서 돌려서 표현한 거절의 뜻이지 싶었습니다.

"허락해 줄 수 없어, 네 밥값만 따로 주기도 애매하고, 나중에 엄마가 휴가를 내서 신세를 갚는 것도 반기지 않을 테니까."

이해가 안 되니 그날 저녁 내내 엄마를 원망하며 서럽게 울던 아이의 울음 소리가 15년이 지났지만, 어제 일처럼 잊히지 않습니다.

갑작스러운 이른 하교, 방과 후 수업이나 학원을 옮기고 첫 수업에 당황하며 엄마의 도움을 요청하는 둘째 아이를 보며 그 모든 것을 혼자 했던 첫째 아이가 떠 오릅니다. 대신 첫째 아이는 둘째 아이보다 경제적으로 더 풍족하게 여행, 예체능, 장난감 등을 누리기는 했습니다.

첫째 아이를 키울 때는 주말이 되면 보상이라도 하듯 롯데월드, 각종 체험, 국내외 여행 등으로 바빴습니다. 시간이 있으면 항상 무언가를 하려고 했습니다. 함께 있는 시간이 아까웠으니까요.

그런데 여유 있게 둘째 아이를 키워보니 아이랑 친밀해지는 건 차라리 아무것도 안 하고 뒹굴뒹굴하는 시간이구나 싶습니다. 그렇게 온전히 아무것도 안 하고 24시간 첫째 아이랑 보낸 하루가 적습니다.

서로 마주 봐야 하는데 서로 앞을 보는 시간이 많았구나 싶은 아쉬움이 남습니다.

다른 하나는 워킹맘으로서 〈직장 속의 나〉가 〈고유한 나〉는 아니라는 것입니다. 제가 급성 디스크로 입원했을 때 침상 안내판에 회사와 직책이 기재된 걸 부모님이 보시고는 자랑스러워하셨던 게 기억납니다.

동명이인이 있어서였는지 표기가 되어 있었다고 합니다. 그때는 별일도 아닌데 유난스럽다는 생각도 들었습니다. 돌이켜보니 저 또한 직장을 당연한 나 자신의 가치로 받아들였습니다. 누리고 있고, 인정받고 있으면서도 잘 몰랐습니다.

하지만 다 내려놓고 그냥 〈나 자신〉으로 벌거벗고 서야 할 때가 옵니다. 누구나 언젠가는 옵니다. 이래서 사람들이 전문직을 선호하는구나 싶기도 합니다. 죽을 때까지 문신처럼 인정되는 타이틀이 전문직이니까요.

〈고유한 나〉로서의 가치를 스스로 만드세요. 남들이 무직으로 보고 때론 무시해도, 상처받지 않을 〈나 자신〉을 준비하세요. 직장 생활이 사라지고 온전히 나 혼자 보내야 할 매일의 시간을 상상해 보세요.

그렇다면 워킹맘을 그만두고 전업맘으로 살면서 가장 크게 느끼는 어려움은 무엇일까요?

일반적으로 으뜸은 경제적인 부분이지만 이것은 논외로 하겠습니다. 이미 각오하고 가는 길이니까요.

전업맘은 시간이 많습니다.

독박육아니 불만을 토로하지만, 수유기나 영아일 때 분명 아주 힘든 시기가 있지만, 그 상태가 영원히 지속되는 건 아닙니다. 엄마로서의 노동은 아이가 커감에 따라 빠르게 줄어듭니다. 물론 정신적으로는 계속 부담과 스트레스를 받습니다만 어린이집에 보내기 시작하며 비로소 숨통이 트입니다.

* 독박육아 : 배우자나 다른 사람의 도움 없이 혼자서 어린아이를 기르는 일을 비유적으로 표현하는 말

하루 동안 나만의 시간을 모아보면 꽤 많은데, 자투리로 조각난 시간입니다. 양질의 시간이 아닙니다.

매일 일정하게 시간이 확보되는 게 아니라 아이의 컨디션이나 일정에 따라 들쑥날쑥 합니다. 일반적으로 아이들이 중학생이 될 때까지는 그렇습니다.

전업으로 사는 생활의 속도는 주로 걷다가 멈추다가 잠깐씩 뛰기도

합니다. 전업으로 살게 되면서 사계절의 변화를 온전히 흠뻑 느끼고 세상을 천천히 깊게 사색할 수 있는 〈여유〉를 갖게 되었습니다.

자투리로 조각난 시간을 어떻게 양질로 쓸 수 있을까요?
이것이 전업맘의 숙제입니다.

워킹맘은 같은 시간에 출근하여 일을 하고 퇴근합니다.
대부분 일 년에 한 번은 평가받고 내 노동의 가치를 월급으로 인정받습니다. 일상이 늘어지기가 쉽지 않습니다. 적어도 직장에서는 말입니다. 업무로든 사람을 통해서든 직위가 변함에 따라 성장도 합니다.

전업맘은 주로 여자들만 만나서 아이, 남편, 시댁 위주로 이야기하다 보니 발전하기가 힘듭니다. 그래서 운동이나 취미 생활로 돌파구를 찾습니다.
때론 육아의 성공에 큰 의미를 부여하기도 합니다.

대학과 직장은 어찌 보면 나와 비슷한 성향의 사람들이 모인 것일 수 있습니다. 입학처나 인사팀을 통해 어쨌든 한번 걸러진 사람들입니다.
그들의 이력은 검증이 된 것이니 최소한의 신뢰가 기본이 된 사회생활입니다.

그런데 전업맘의 인간관계는 그야말로 야생입니다. 학력도 출신도 직업도 다양합니다.

본인의 주장 말고는 이력을 검증하기가 힘듭니다. 그래서 때론 자랑과 시기, 험담이 난무합니다. 불신이 기저에 깔려있다고 할까요?

이런 특징으로 전업맘 초기에는 인간관계로 상처를 받기도 합니다.

반복되는 청소, 빨래, 요리, 육아 등 일상에 변함없는 동력을 갖기 어렵습니다. 강제성도 없습니다. 잘하는 것과 덜 하는 것 그리고 안 하는 것에 대한 차이는 그저 내 만족일 때가 많습니다. 보상이나 평가도 없습니다. 그래서 늘어지고 무기력해지기 쉽습니다. 전업맘으로 살면서 자존감을 느끼기가 힘듭니다.

〈고유한 나〉로서 삶의 긴장감과 의미가 없다면 시간이란 바다에서 정처 없이 표류하는 삶일 뿐입니다.

"어떻게 살 것인가?"

일도 자식도 다 떼어내고 〈나 자신〉으로서 이 시간을 어떻게 보낼 것인가?

결국 이러한 고민은 모두 같다고 생각합니다.

워킹맘이나 전업맘으로서 일의 힘듦이 아니라 존재의 가치에 관해 이야기하는 경우를 봅니다. 하지만 이것은 생활의 방향성이지 삶의 방향성은 아닙니다. 삶의 방향성을 이끄는 것은 〈가치〉입니다.

지금 내가 워킹맘으로 또는 전업맘으로 행복하지 않다면,

찾아야 할 건 삶의 방향성이 아닐까요?

* 〈생활〉은 일상에서 이루어지는 행위로, 〈삶〉은 그 행위에서 의미를 찾아가는 과정으로 보았습니다. 같은 생활을 하는 사람은 많지만, 같은 삶을 사는 사람은 없습니다.

50대, 매일 새로운 하루를 깨닫다.

늙으면 잘 안 보입니다.

노인분들이 만나면 서로 "하나도 안 변했다.", "너는 안 늙는다."라고 말씀하시는 걸 들으면서 어이가 없기도 하고 서로 거짓말하는구나 싶었습니다

노안이 오니까 뿌옇거나 잘 안 보이고, 그러니 그냥 다 이쁘고 안 늙어 보입니다.

젊어서처럼 잘 보였다면 늙은 얼굴에 우울하거나 성형 중독이 되었을지도 모릅니다.

잘 안 보이니 청소도 설거지도 빨래도 대충 해도 깨끗해 보입니다.

젊어서처럼 잘 보였다면 집안일에 늙은 몸이 버티지 못했을지 모릅니다.

노인에게 더럽다고 지적하는 건 젊음을 뽐내는 거였습니다. 내 처지가 되고 보니 아차 싶습니다. 실제로 노안 수술하고 세상이 또렷이 보이니 우울하다고 하는 경우를 가끔 봅니다.

늙으면 잘 잊습니다.

기억이란 얼마나 엉터리인지 깜짝 놀랍니다. 시간순이 아닙니다. 최근 일은 잊고 예전 일은 기억합니다. 사건을 주관적으로 편집합

니다.

내 편한 대로 왜곡해 버려 서로의 기억이 다릅니다.

기억하는 범위가 점점 줄어듭니다. 기억의 양이 주니까 같은 이야기를 반복할 수밖에 없습니다. 말했다는 사실조차도 종종 잊습니다.

몸은 현재에 있지만 마음은 과거의 기억 속을 여행합니다. 시간여행 아니 추억여행이라고 할까요? 때론 그중 어떤 기억에서 무한루핑을 돌기도 합니다.

늙으면 둔해집니다.

반사신경도 늙고 감각들도 늙습니다. 늙음은 감각기관에 커다란 완충지대를 만들어 줍니다.

몸도 여기저기 고장이 나서 체력은 떨어지고 감정도 이성도 늙어서 〈총체적으로 둔해진다〉라는 것이 불필요한 소모를 막아줍니다.

아주 행복하기도 힘들지만 아주 불행하기도 힘든 그런 중간 지대에 머물게 합니다.

오십이 되고 보니, 늙는다는 것이 현실로 다가옵니다. 노화의 증상이 하나둘 나타나서 당황하게 됩니다. 새롭게 늙는다는데 적응 중입니다.

"젊음이 상이 아니듯 늙음도 벌이 아니다"라고 절규하던 〈은교〉의

한 장면이 떠오릅니다. 할머니의 설거지에 늘 묻어나던 고춧가루 한 개, 이제야 그것이 늙음인 걸 알겠습니다.

"어쩌면 지금이 제일 좋을지 모르겠다."

늙어가며 더 아플 테고, 수입은 계속 줄어들 테고, 양가 부모님은 경제적, 육체적, 정신적으로 나에게 더 의지할 테고, 성인이라고 떠나는듯했던 자식들은 다시 언제 SOS를 보낼지 모릅니다.

"어쩌면 지금이 그리울지 모르겠다."

먹구름 몰려오기 전에 즐기는 망중한 같은 건지 모르겠다 싶어집니다.

젊음만 아까운 게 아니었구나!

"건강하게 걸을 수 있을 때 여기저기 돌아다니고, 책 읽기 어려움이 없을 때 실컷 읽고, 다시 돌봐야 할 그 누군가가 없는 지금의 자유를 누려야지."

백세시대 지겨워서 어떻게 살까 했는데 50대가 되고 보니 알겠습니다.

자고 일어나면 1도쯤 움직인 지구처럼, 늘 그대로인 듯한 세상과 나의 미세한 변화를 감지합니다.

〈50대〉, 하루하루가 애틋하고 새롭구나!

인간관계, 동굴과 광장을 조율하다.

인간관계는 어떻게 시작될까요?

상대방이 나에게 느끼는 감정이 호감인지 호기심인지 생각합니다.

나에게 호기심을 느끼는 사람은 궁금한 게 많습니다. 나에 대해 더 많이 아는 게 나와 더 친한 거로 생각합니다. 타인에게 우리가 친해서 얼마나 더 많이 알고 있는지를 뽐내고 싶어 하기도 합니다.

호감은 독점하고 싶어 하지만, 호기심은 공유하고 싶어 합니다.

상대방이 나를 좋아하는지 내가 필요한지 생각합니다.

좋아하는 감정의 주체는 상대방입니다.

상대방이 좋아해 주는 만큼 내 감정이 호응하지 못할 때는 부담이 되기도 합니다.

상대방이 내 기대만큼 좋아해 주지 않거나 예전만큼 좋아해 주지 않으면 상심하기도 합니다.

반면 상대가 필요로 하는 주체는 나입니다.

내가 필요를 제공하면 관계가 유지됩니다.

내가 필요를 중단하면 관계도 소원해지게 됩니다.

인간관계에서는 어떤 태도가 좋을까요?

〈나의 진심〉이면 됩니다.

상대가 진심이든 아니든 내가 보낸 시간이 〈진짜〉였다면 충분합니다.

결국은 시간이 답을 줍니다. 떠날 사람은 떠나고 남을 사람은 남습니다.

시절 인연이면 어떤가요? 그 시절에 스치듯 만나 보낸 좋은 시간까지 폄하할 필요는 없습니다. 나의 진심이 나의 시간을 반짝반짝 빛나는 추억으로 만듭니다.

〈나의 정성〉이면 됩니다.

다시 돌아가고 싶지 않습니다. 그 순간이 나에겐 최선이었습니다.

사람은 호의를 느낄 때 고마운 게 아니고 〈정성〉을 느낄 때 고마워합니다. 상대방이 고마움을 느끼지 못했다면 나의 정성이 상대방의 기대보다 부족했던 것입니다.

정성을 다함으로써 나는 관계에서 자유를 얻습니다.

뒤돌아 후회하거나 미련을 남기지 않을 자유,

이별 앞에 아쉽지도 미안하지도 않을 자유!

인간관계에서 적절한 만남의 주기는 언제일까요?

나는 동굴에서 나만의 시간을 갖습니다. 내 안이 상념으로 점점 차올라 답답함을 느낍니다. 그러면 광장으로 달려가 사람들을 만납니다. 관계를 통해 내 안이 비워지고 새로운 공기들이 들어옵니다. 광장에 몰두하다 보면 가끔 헛헛함을 느낍니다. 그러면 다시 동굴을 찾습니다.

인간관계는 동굴과 광장을 오가며 자신에게 맞는 주기를 조율하는 것입니다.

외로움, 나 자신과 친구가 되다.

외로움이 짙어져 나를 집어삼켜 버릴 것 같은 두려움이 들 때가 있었습니다. 사랑하고 위로해 줄 누군가가 그리웠습니다. 나만 그런 누군가가 없는 것 같았습니다. 그렇게 세상에서 버려진 느낌이 들었습니다.

"외로움은 마음의 그림자야. 몸의 그림자처럼 안 보일 때도 있고 짧아졌다 길어졌다 하는 거야. 그림자가 불편한 사람은 없잖아? 외롭다는 걸 의식하고 부대끼는 게 부자연스러운 거야."
라고 마음을 다독였습니다.

책을 읽고 글을 쓰면서 자신과 대화하는 방법을 찾고, 그렇게 나와 친구가 되면서 차츰 이런 감정에서 벗어나게 되었습니다. 나의 공허함을 타인이 채워주기를 바라는 수동적 상태에서, 스스로 채워 나가는 능동적 상태로 변했습니다. 그렇게 글쓰기로, 음악으로, 미술로 또는 다른 취미를 통해서 각자의 내면과 연결되는 통로를 찾아가는 것 같습니다.
혼자 있는 시간이, 쓸쓸하고 적막하거나 내면의 소음으로 시끄럽고 불안한 상태에서, 자연스럽고 편안하며 충만한 상태로 변하게 됩니다.
나 자신(자아, 自我)이란 친구가 있으면, 혼자일 때도 군중 속에서도 더 이상 외롭지 않습니다.

철학자들은 "고독은 스스로와 친구가 된 충만한 상태이고, 외로움은 스스로와 단절된 공허한 상태"라고 이야기합니다. 이제는 어렴풋이 그 의미를 알 듯합니다.

나를 사랑해야 타인을 더 깊이 사랑할 수 있듯이,
나와 친구가 되어야 타인과 더 좋은 친구 관계가 될 수 있습니다.

〈고독한 사람은 자기와 함께 있을 수 있는 사람이다. 자기와 이야기할 수 있는 능력을 갖추고 있기 때문이다. 나는 고독 속에서 나 자신과 함께 〈나 혼자〉 있으며 그러므로 한 사람 안에 두 사람(나와 자아)이다.
사유는 고독 속에서 이루어지며, 나와 나 자신의 대화이다.
– 한나 아렌트〉

〈외로움은 고독이 아니다. 고독은 혼자 있기를 요구하지만, 외로움은 다른 삶과 함께 있을 때 가장 날카롭게 그 모습을 드러낸다.
– 한나 아렌트〉

SNS, 유리병 통신

비혼이든, 기혼이든, 자식이 있든 없든
가끔은 자신이 외로운 섬 같다고 생각하게 됩니다.

그 섬에서 각자의 사연을 유리병에 넣어
인터넷 바다로 띄워 보내는 것이 SNS 활동이 아닐까요?

누군가의 유리병은
카카오톡이고, 카페의 게시글과 댓글이고, 블로그이고, 유튜브이
고, 인스타입니다.
여러 디지털 방식을 통해 각자의 아날로그적인 이야기를 전달합
니다.

어쩌면 우리는 소통이나 응답을 두려워하며 일기장인양 의사 전달
만 하고 있는지 모릅니다.
임금님 귀는 당나귀 귀라고 쏟아낼 대나무숲이 필요할 뿐인지도 모
릅니다.

내가 띄우는 유리병 통신이 바닷속으로 의미 없이 잠겨 버릴지,
누군가에게 닿을지 알 수 없습니다.
그래서 때론 이 통신이 나를 더 외롭게 만듭니다.

그러나 외로운 섬에 떠밀려 온 누군가의 유리병을 열고 그 사연에 깊은 울림을 받을 때, 익명이기에 자유롭고 솔직하게 다가오는 큰 감동이 이 통신의 매력입니다. 바다 너머 어딘가와 연결되는 공감이라니요!

가끔은 오목거울이나 볼록거울에 비친 것처럼 희노애락이 부풀려지기도 합니다. 누군가는 가면을 벗고, 또 누군가는 가면을 씁니다.
다양한 자신의 모습 중 취사선택해서 몇 가지만 확대해서 보여주기도 합니다. 그렇게 가짜는 아니지만 진짜와도 다른 모습일 때가 있습니다.
이 통신이 갖는 리스크입니다.

우리는 무언가를 그리워하는 것이 아니고 누군가를 그리워합니다.
그렇게 오늘도
누군가를 향해 유리병 통신 하나를 띄워 봅니다.

우리가 머금은 세상

김어항

김어항   바다와 하늘을 쓰는 바보.
제주도에서 태어나 바다와 하늘을 보는 것을 좋아하는 사람이다.
파도 너머의 세상을 궁금해하고, 더 높은 하늘 속을 바라보기 위해 작
은 돛단배를 띄우고, 아끼는 모든 것을 욱여넣어 무작정 출발했다. 음
악을 하고 그림을 그리던 대학생이, 글로 세상을 표현하고 싶어졌다.

우주 속의 너

별 : 오늘 밤에 네 별은

　사람들은 아득히 펼쳐져 있는 하늘 속 우리는 닿고 싶은 각자의 별들을 바라보며 살아. 그 별들에 다가갈수록 별들의 뜨거움이 몸속으로 들어오고, 그 뜨거움을 우리는 희열이라고 느끼며 살아가는 것 같아.

　아주 멀리 떨어져 있는 별을 닿을 것 같다고 느끼며, 허공에서 허우적대는 모습들로 하루를 살아가다 돌아서지만, 결국 그 별이 내게 가장 반짝여 보이는 아이라는 것을 알아. 그 때문에 사다리를 타고 올라가면 별 하나쯤은 딸 수 있지 않을까, 괜히 해피엔딩만 그려져 있는 동화책에서나 나올법한 생각들을 하고는 하지.

　결국 그 별을 쉽게 손에 잡히지 않는 별이라는 것을 알게 돼. 그 높이와 까마득한 거리가 얼마나 무서운 줄을 알아차린 채 시도하는 것을 두려워할 때도 있어.
　그러다 보면 결국 별에 닿고, 다시 반짝이는 별을 찾으러 나서야 하는 것이 인생의 전부라는 것을 깨닫게 돼. 그 순간 우리는 인생의 허망함을 느끼게 되고 모든 것이 부질없음을 느끼는 것 같아.

　결국 노력해서 쫓아가는 별을 반짝이는 것이고, 그렇게 받은 열기는 그저 열기일 뿐, 그게 다라고 느껴지는 순간이 오기도 하고.

그 별을 바라보고 잡으러 가면서 자신도 스스로 반짝이기 시작한다
는 것을, 스스로 빛날 수 있는 보석이 된다는 것을 잊지 않았으면 해.

달려가는 세상에 바람이 속도를 늦추고 있지만, 때로는 그런 바람
이 너를 시원하게 해줄 거야. 그러니 부질없다고 느껴질 수도 있는 이
세상에서 네가 무언가를 바라보고 있다는 것만으로도, 네가 빛날 준
비가 되어 있다는 것을 잊지 말고 그 별에 다가가 줬으면 좋겠어.

너와 그 별이 만나 빛나는 새로운 행성을 무한한 우주가 기다리고
있다는 것을 잊지 않았으면 해. 너는 조그마한 별부터, 다른 색을 보이
며 빛을 내는 다양한 별들을 보따리에 담고 있었다는 것. 그렇게 너는
다른 별들과 함께 여러 색으로 빛나고, 빛낼 사람이라는 것을 잊지 않
았으면 좋겠어.

세상을 살아가다가 가끔 원하는 별을 잡아내는 것이 부질없다고 느
껴질 때.

나는 이미 나만의 방식대로 반짝이고 있고, 그런 반짝임으로 어떤
것을, 그리고 누군가를 예쁘게 비춰주고 있다는 것을 잊지 말아줘. 그
리고 그것을 잊지 않기 위해 보따리에 숨겨져 있는 너의 별들을 하나
씩 바라봐주고, 다시 네가 이 넓은 곳에서 빛나고 있는 사람이라는 것
을 깨닫고, 너 또한 이 우주에서 누군가가 잡고자 하는 빛나는 별임을

알고 하루를 살며 너만의 별을 다시 찾으러 나서자.

별들이 각자 어떻게 반짝이는지, 어떻게 각자를 밝게 빛내고 어떤 식으로, 어떠한 색으로 각자를 빛내고 있는지를 보다가 갑자기 반짝이고 있는 내가 초라하게 느껴질 때도 있을 거야.

그것은 그동안 별을 찾기 위해 둘러본 곳이 다를 뿐이지, 당신의 별도 누군가에게는 예쁘게 반짝이고 있는 보석임을 잊지 말자.

너는 앞으로 둘러볼 곳이 많고, 넓은 우주에서 많은 별들을 만나고, 별들을 잡으며, 그 별들과 언제나 새로운 여정을 떠나게 될 것이니, 자신이 초라한 것이 아닌 앞으로 반짝이는 방법과 색들을 고를 수 있는 많은 시간과 기회가 있는 것이야. 그러니 이 세상 속에서 빛나고 있는 너를 사랑하며 다른 별들이 빛내는 방법과 빛내는 모습을 바라보며 너도 너만의 색을 만들 수 있을 거야.

오늘 밤에 네 별은 그 누구보다 아름답게 빛나고 있을 테니.

태양 : 우주를 밝히는 너

오늘도 사랑 속 따뜻한 하루를 보내길 바라.

자존감이 많이 낮아지고, 삶의 이유를 찾지 못해 무기력해지는 순간이 올 때가 있어.

자신이 이 세상을 살아가면서 숨 쉬는 데에 있어서 이유를 찾지 못하겠어서, 그런 이유로 자신의 존재 자체에 물음표를 띄우는 순간도 오고, 이런 세상을 살아가고 싶지 않은 순간들이 올 때가 있지.

나 또한 가끔 일이 풀리지 않고, 인간관계가 제대로 풀리지 않을 때, 이런 생각을 자주 하곤 했던 것 같아. 좋은 일 하나 없이 여기저기 꼬여가는 세상에서 내가 더 이상 살아가야 하는 이유를 모르겠고, '이런 세상에 내가 존재함으로써 도움이 되는 순간이 있을까?' 하는 자존감 낮은 생각들을 하는 순간이 있었어. 이렇게 걱정과 고민을 깊게 하다 보면 더 이상 이렇게까지 고민하고 생각하면서 존재 이유를 찾고, 그런 세상에서 버텨야 하는 걸까 하는 고민을 많이 하곤 했던 것 같아.

지금도 나는 변함없이 같은 생각을 하며 살 때가 있고, 이게 잡생각들이라는 것을 알고, 언젠간 밝은 세상을 볼 수 있다는 믿음과 굳이 봐야 하는 생각이 여전히 뒹굴며 싸우고 있어.

그런 생각을 하고 있는 사람에 곁에서, 내가 늘 하는 말.

하늘을 한번 바라볼래?

네가 지금 보고 있는 하늘에는, 해가 떠 있거나, 해가 비추고 있는 달이 너를 반기고 있을 거야. 태양. 그 태양이 너라고 생각하고 살아가 줘.

너는 소중한 태양이야.

태양은 자신이 스스로 밝게 빛날 수 있고, 자신이 가지고 있는 빛으로 다른 사람들을 비춰주기도 해. 지구를 포함한 8개의 태양계 행성들은, 태양을 중심으로 빙빙 둘러 가며 공전하고 있고, 스스로 빛을 내는 태양의 곁을 늘 지키고 있어. 너는 이 우주를 예쁘게 밝혀내고 있는 소중한 존재라는 것을, 그리고 이 우주의 주인공이라는 것을 잊지 않았으면 좋겠어.

우리에게는 낮과 밤이 있는 이유가 태양이 있어서이기 때문이니까. 가끔은 힘든 일로 먹구름이 끼는 하루고, 태풍이 부는 하루여도 태양은 사라지지 않고 어디선가 여전히 밝게 빛나고, 변함없이 낮과 밤을 알려주는 소중한 존재라는 것을 잊지 말자. 그리고 너 또한 그런 소중한 태양이라는 것을.

누군가에게 너는 자신을 밝게 비춰주는 따뜻한 존재이기도 하고, 차가운 눈을 녹여주는 고마운 존재이기도 하고, 자신을 더 활활 태워

줄 수 있는 뜨거운 존재이기도 하니까. 그런 너의 소중함을 다른 사람들을 잘 알고 있으니, 이젠 그런 네가 자신이 중요한 존재임을 잊지 않고 세상을 살아가자.

누군가는 태양도 진다고 하지만, 그곳에서는 지는 태양이 반대편에서는 다시 떠 누군가에게 낮을 주는 존재니까. 너는 그런 존재니까.

삶을 살아가다가 정말 힘들어서, 모든 걸 다 내려놓고 싶은 순간이 온다면,

네 곁을 지켜주고 있는 사람들에게, 소중한 사람들에게

조금은 낯 간지러워도 안아달라고 한 번만 해보는 것은 어떨까.

어쩌면 네 곁에 사람들은 언제나 활활 타고 있던 너를 걱정하며

네가 언젠간 편안하게 주위 사람들에게 기댈 수 있는 편안한 안식처이길 바라고 있을 수도 있어.

걱정하지 말고 일단 안아달라고, 그리고 주변 사람들의 온기를 느끼며

네가 다시 활활 타오를 수 있는 태양이 되길,

진심으로 응원하고, 사랑하고 있을게.

언제나 따뜻한 나날들만 보낼 수 있길 바라.

달 : 그렇게 소중하지 않을 수 없는

일이 끝나고, 수업이 끝나고, 친구들과의 약속이 끝나고

집에 들어가다 보면 달을 보고 예뻐서 가만히 달을 쳐다볼 때가 있었어.

내가 사는 곳은 촌 동네라 특히 밤이 되면 별과 달들이 잘 보이는데, 금방이라도 별들이 뒤덮일 것 같이 반짝거리고 있어서 침대에 누워서 바라봤거든. 그럴 때마다 어떻게 이렇게 끊임없이 반짝일까, 한참 동안 멍하지 바라보다가 잠들 때도 있던 것 같아

가끔 별이 안보일 때에는, 달을 쳐다보곤 했어.

생각해보면 달은 촌 동네가 아니어도 언제든지 볼 수 있고, 별들보다 더 크고 유일한데.

너무 당연하게 있을 것으로 생각하고 더 반짝거리는 별들을 보다 보니 달을 가만히 보는 것은 생각도 못 했던 나였어.

요즘의 나는 내 곁에 있는 것들을 당연하게 생각할 때가 있어.

모든 사람은 당연하지 않은 것들을 가끔 당연하게 생각할 때가 있는 것 같아.

그러다가 그런 것들이, 곁에 늘 있던 것들이 사라졌을 때가 되고 나서야 소중함을 느끼게 되는 것 같아. 물론 그 소중함을 알고 끝까지 모든 사랑을 퍼부어주는 멋진 사람들도 있지만.

얼마 전에 소중하게 사랑을 주던 강아지를 하늘나라로 보내고,

인생의 갈피를 잡지 못한 적이 있었어. 누군가를 무지개다리 너머 하늘나라로 보내는 일이 처음이었고, 모든 감정들을 다 겪어본 줄 알았던 내가 아직 세상을 알기엔 적은 경험을 했다고 느꼈거든. 안녕을 다시 말하기 어려운 이별은 참 아프더라. 많은 사람들이 겪어왔던 거겠지?

심장이 찢어질 것처럼 아팠고, 이런 감정들이 잘 무뎌지지도 않는 것 같더라고. 시간이 약이라는 주변 사람들의 조언만 듣고, 그저 시간이 열심히 흘러갔으면 좋겠다고만 빌고 있어.

언제나 함께해줄 것 같았던 소중한 친구를 보내고 나니, 그제야 그 친구의 자리가 느껴지더라. 내 어린 시절을 전부 채워준 아이였기에, 그리고 그런 친구가 이렇게 빨리 내 곁을 떠날 줄 몰랐었는데. 평생 같이해줄 내 소중한 친구라고만 이기적으로 생각해서, 이별을 맞이하는 게 너무 힘들었어.

나이를 먹고 시간과 달력을 계속 넘기다 보면 이렇게 다시 인사할 수 있을지도 모르는 이별을 겪어야 한다는 일이 많다는데, 이걸 감당해야 하는 앞으로가 무섭더라고.

그리고 이런 사람들에게 내가 어떻게 사랑을 쏟아부어야 할지도, 어떤 마음으로 곁에 당연하게 있는 사람들을 대해줘야 할지도 몰라서 머리를 쥐고 밤을 보낸 적도 있던 것 같아.

달을 보면 여전히 그 친구가 생각나고,

그 친구에게 더 많은 사랑을 주지 못한 내가 밉고 한심하게 느껴져.
근데 뭐 어떡하겠어.

이미 떠난 친구인데.

당연한 것을 당연하게 생각하는 대신,

조건을 붙이기로 했어.

언젠간 떠날 인연들이라고.

이게 싸워서 떠날 인연이 될지, 사별을 맞이하게 될 인연들일지는
모르겠지만.

당연한 만큼, 소중하게 생각하기로 했어.

별들 곁에 달이 있고, 밤에는 항상 달이 있다는 것을 생각하면서.

잠깐 빛나는 기회들과 인연들도 소중하지만, 묵묵히 그런 소중한
인연들을 만나는 것을 기다려주고, 그런 밤. 즉, 인생을 함께해주는
사람들도 소중하다고.

남은 사랑들을 다 달에 주기로 했어.

그렇게 내 곁에 당연하게 있는 사람들부터, 나를 아껴주는 사람들.
그리고 나를 소중하게 대해주는 사람들부터 사랑해주기로.

빛나는 별도 예쁘지만,

매일 다른 모양으로, 다른 색과 빛을 내며 우리에게 편안하게 잠들
수 있는 밤을 말해주는

달이 그렇게 소중하지 않을 수가 없더라.

바닷속 흘러가는 것에는

항해 : 언제나 새로운 바다

　세상에 모든 것에는 이치가 있다고 생각하고, 우리는 그 이치에 맞게 살아가고 있어. 그러나 가끔은 그 이치 위에 올라설 수 있는 방법을 찾기도 해. 마치 크게 부는 바람에 몰아치는 파도가 커 우리가 헤엄쳐 갈 수 없을 때, 배를 띄어 여행을 바다를 누비는 것처럼 말이야.

　흘러가며 일어나는 모든 일들을 두려워하지 말고 무섭게 몰아치는 파도가 무성한 바닷속에서도 여행을 할 수 있는 단단하면서도, 그런 파도가 가지고 있는 좋은 거품들을 집어삼킬 수 있고, 부드럽게 넘길 수 있는 네 배를 만들어야 해.

　훗날 우리가 갑작스럽게 치는 파도에 배를 타야 할 때도,

　흔들리지 않고 편안하게 등대를 따라 제가 가고자 하는 길을 가려는 작지만 단단한 배가 남아있다면, 네가 가려는 곳의 바다 끝자락에서 우글대는 포말들이 자연의 빛과 어우러져 밝게 빛나 너에게 수고했다 반겨줄 수 있을 거야.

　네 시선 끝에 둔 세상 모든 것들이 언제나 빛을 받는다고 밝게 빛날 수는 없을 거야. 그렇다고 어둠 속에서 모든 것들이 다 어둠 속에 묻혀 허우적대고 있지는 않을 것이라 생각해. 어둠 속에서도 은은하게 빛나며 네 눈에 담기는 것들을 한데 모아다 네 지도를 만들고, 주워 담을

빛나는 보석들을 위한 여정을 찾기 시작한다면 그게 바로 삶을 살아가는 것 아닐까, 감히 이야기를 해봐.

오늘도 바다의 끝자락에는 어김없이 바닷물이 울렁거리며 모래를 적시고, 바위와 부딪히며 포말을 만들어내고, 해가 떠 있을 때는 햇빛과 함께, 달이 떠 있을 때는 달빛과 함께 은은하게 자신의 이야기를 드러낼 거야. 그 이야기에는 긴 세월 동안 바다가 살아오면서 겪었던 많은 일들이 들어있을 테고, 그 일들을 품에 담은 바다가 울렁이는 파도는 꽤 커서 우리를 덮칠 만큼 팔을 높게 들지도 모르겠어.

우리, 그런 파도가 높게 팔을 드는 것을 무서워하지 말자. 바다는 우리에게 또 다른 새로운 것들을 알려주려고 하는 것일 수도 있잖아? 그런 파도에 잡아먹혀 바닷속으로 가라앉게 되는 걸 무서워하지 않아야 더 단단한 배를 만들 수 있다고 생각해.

적당한 긴장감과 적당한 걱정은 우리를 조금 더 세심해지고 조심스럽게 행동하게 만들어주니까, 그런 마음과 많은 용기. 그리고 실패해도 괜찮다고 생각해. 그리고 다시 일어설 수 있다는 나 자신에 대한 믿음만 있다면 우리는 작은 조각배부터 시작할지라도 비로소 큰 배를 만들 수 있고, 그래서 더 많은 항해를 해나가는 힘이 생길 거라고 믿어 의심치 않아.

바다가 지구의 면적을 더 많이 차지하고, 다양한 온도의 바다가 우리 지구에는 펼쳐져 있어서 항해하는 곳마다 우리는 늘 새로움을 얻을 수 있어. 또 파도는 매번 다른 형태로 치기 때문에 우리는 다른 바다를 봐가며 또다시 빛나는 것들을 찾아낼 수 있다고 생각해.

내가 바다를 좋아하는 이유야. 바다는 우리 삶과 비슷하다고 생각하거든. 바다의 매력은 깊고, 늘 새로워.

바다가 언제나 새롭고, 항해하며 늘 새로운 것을 보는 것처럼, 우리 삶도 언제나 새롭고, 다른 사람들이 겪을 수 없는 자신만의 이야기들이 생겨나고, 그런 이야기들로 우리 인생이 가득해지는 것이라 생각해.

주변에서 하는 이야기들은 그저 그 사람들만의 이야기일 뿐, 네가 보고 있는 지도는 결국 네가 그리는 것이기 때문에, 바닷속에서 흘러가는 우리 각자가 항해사이고, 각자의 이야기를 만들어내는 작가인 거야. 여러 개의 지도가 들어있는 책들이 바다에 흘러가는 도서관이라고 생각해. 우리가 해답을 얻고자 찾아내고 물어보며 얻는 모든 것들은 해답이 아닌, 그저 참고 자료일 뿐이라고 봐.

어찌 됐건, 네 인생이라는 거야.
누군가가 겪어보지 않고 네가 스스로 항해하고 있는 네 인생.
실패와 성공의 기준을 남이 결정하지 못하고 네가 스스로 결정할 수 있는 네 인생.

그런 네 인생은 아주 고귀하고 소중해서, 감히 누가 만질 수 없다는 것이야.

가끔 자신이 잘살고 있는 것인지, 실패하며 사는 것인지 성공하며 사는 것인지 모르겠는 애매한 인생을 살고 있다고 생각될 때는 그저 파도 위에 서서 넘어갈지 말지 고민하는 너라고 알아줬으면 좋겠어.

너는 지금 충분히 잘 살고 있고, 파도치는 바다에 몸을 맡길 줄 아는 뱃사공이 되고 있다는 것이라고. 그니까 모든 걱정 버려놓고 네가 사는 인생이 곧 네 인생의 길이고 지도라고 생각해줘.

우리가 쓰는 책은 우리가 끝까지 마무리해야 하니까. 남이 대신 써줄 수 없는 책이니까.

우리는 충분히 많은 굴곡을 겪어도 결국엔 해피엔딩으로, '오래오래 행복하게 잘 살았습니다~'로 마치 동화처럼 마무리할 수 있는 기회가 많다는 것이야.

언제나 실패와 성공으로 너의 인생을 만들려고 하지는 말고,

도전해가며 이야기를 만들고 있는 너의 인생에, 그리고 용기를 내며 사는 너의 인생을 들여다봐 줄 수 있는 하루가 되길 바라.

너는 네 생각보다 훨씬 더 멋진 인생을 살고 있어.

빛나는 윤슬 위에 떠 있는 우리도,

파도 : 나와 같은 물결의 사람

내가 사는 곳은 섬이라 바다를 자주 볼 수 있어.

내 또래의 친구들은 바다를 싫어하기도 하고, 지긋지긋해서 이 섬에서 벗어나고 싶다는 친구들도 많아.

나도 그중 하나였지.

나는 원래 바다를 좋아하지 않았어. 학창 시절에 크게 아프고 난 이후로 처음 본 밤바다가 내 마음을 하나씩 정리할 수 있게 도와줬어.

그때 내가 본 밤바다는 한치잡이 배들이 멀리서 별처럼 반짝거리고 있었고, 꽤 더운 여름이었는데도 짭짤하고 비릿한 바닷바람 냄새가 시원하게 느껴졌었어. 그때 이후로 일주일에 4번은 바다를 보러 가는 것 같아.

바다에 가면 항상 사진을 찍어. 그때그때 달라지는 온도와 공기, 그리고 파도가 언제나 예뻐 보였거든. 특히나 매일 다른 모양으로 치는 파도에 물거품과 그 윤슬이 무뚝뚝한 사람도 흔들리게 할 정도로 심금을 울려.

그 파도의 매력에 푹 빠져 밤낮없이 바다에 가서 몇 시간 동안 파도만 쳐다보고, 하루에 수백 장씩 파도만 찍었던 적도 있었어.

파도를 보면 마음이 편해지면서도 다양한 의문이 생기더라. 파도의 끝이 어떤지 모르니까, 파도는 긍정적으로 보는 것이 좋을지, 부정적으로 보는 것이 좋을지 헷갈리더라고. 파도가 바위에 부딪히면서 끝나면 물보라와 함께 사라지지만, 평평한 모래사장 위에서는 잔물결과 함께 사라지거든.

이런 파도들을 산책하면서 보다가 문득 인연도 파도와 똑같지 않을까 하는 생각을 했었어.

사람을 만나다가 맞지 않으면 틀어지게 되고, 우리는 다양한 사람들을 만나가며 세상을 살아가야 하잖아.

가끔은 오래 만난 친구보다 잠깐 만난 친구와 더 잘 맞을 때도 있고, 평생 갈 것 같은 친구와 마음이 맞지 않아서 토라질 때도 있지. 오히려 평생 안 볼 것 같은 친구와 우연한 마주침으로 다시 좋은 인연을 맺을 때도 있고 말이야.

바람은 언제나 불고, 드넓은 파도는 바람을 만나 언제나 치고 있어.

우리는 하루에도 다양한 파도를 만나고, 그 파도의 모양은 다양하며, 다양한 끝을 보거든. 우리는 사람을 만나면서 치고받고 싸울 때도 있고, 함께 손잡고 인생을 마무리할 때도 있는 것 같아

모래 하나 찾아볼 수 없는 바위투성이, 방파제들이 가득하고 세차게 부는 바람에 너울진 파도들이 부딪혀 큰 소리와 함께 흰 포말들이 부서져 가는 것.

파도가 아프지 않을까 생각될 정도로 크게 부딪히며 포말들이 생기

더라.

나는 그런 현무암들에 부딪히는 파도들이 좋아서, 해안도로 한구석에 차를 세워두고 멍하니 그 파도를 느끼곤 했어. 크게 치는 파도가 가끔 나를 덮칠 만큼 올라올 때도 있었지만, 부서지는 하얀 거품들, 포말들이 빛에 정말 아름답게 빛나거든.

우리도 누군가를 만나면서 크게 싸움이 나서 서로 등을 보게 되는 경우가 있는데, 그럴 때마다 내가 이 사람을 왜 만났지, 하며 후회하는 사람도 있고, 이 사람을 만나서 내 인생이 망가진 것 같다고 생각하는 친구들도 있어. 나도 그런 생각을 자주 하는 편이었고, 그런 생각이 들 때면 어김없이 바다를 보러 가서 다시 마음을 재정비해.

좋은 추억은 좋은 추억인 거야.
그 사람이 미워진 거지 좋은 추억마저 미워하기엔 내가 살아온 시간들, 웃어온 나날들이 너무 아깝네. 등지기 전에 그 사람은 나를 웃게 해준, 나와 함께 웃어준 좋은 사람이니까. 손에 잡히지 않고 사라지는 물거품처럼 만질 수 없는 과거가 있다면, 있는 그대로 고이 넣어두고 그때보다 더 행복하게 살아가려고 해.

그냥 나와는 타고 있던 물결이 달랐던 거야

사람의 물결에 겁내지 말고, 나와 같은 물결을 타는 다른 사람을 또 만나면서 앞으로 나아가는 거야. 바다에 파도는 끊임없이 생기고, 늘 새로운 형태로 바다를 받아들여.

어떻게 우리가 한 번에 이 드넓은 바다에서 같은 높이의 파도에 몸을 맡길 사람을 찾을까….

정말 좋은 인연이었다면 돌고 돌아 다시 만나게 되어 있는 거라 생각해. 그런 너와 같은 물결의 사람을 언제나 만나며 너의 마음이 잔물결로 조용히 끝날 수 있기를, 그리고 그런 너의 바다가 언제나 아름답게 빛날 수 있기를 응원하고 있을게.

너의 바닷속에서, 아름다운 아이들이 헤엄치고 다녀도
네가 언제나 따스한 태양 아래 잔잔한 하루를 보낼 수 있기를.

붙잡고 싶은 기억 하나

발행 2024년 7월 7일

지은이 이창민, 지산, 오유현, 김태성, 최은진, 이소미, 김은아, 김어항

라이팅리더 조주헌

디자인 윤소현

펴낸이 정원우

펴낸곳 글ego

출판등록 2019.06.21 (제2019-67호)

주소 서울시 강남구 강남대로 118길 24 3층

이메일 writing4ego@gmail.com

홈페이지 http://egowriting.com

인스타그램 @egowriting

ISBN 979-11-6666-518-9